MARIPOSA. Transformative Education

Colección

Quinta Simoni

1. **Mi vida**. Alma Lafuente Salvador
2. **Recuerdos**. Mireya Lafuente Salvador
3. **Páginas rescatadas**. Medardo Lafuente Rubio
4. **Jornadas líricas**. Medardo Lafuente Rubio
5. **Palabras**. Virginia Lafuente Salvador
6. **Del ayer hacia el mañana**. Alma Lafuente Salvador.
7. **Manantial de sentimientos**. Alma Lafuente Salvador
8. **Mi cada vez más querida mía**. Medardo Lafuente Rubio
9. **Sin temor de Dios. Hacer el bien por el bien mismo.** Modesto Ada Rey
10. **Dolores Salvador. Maestra de maestras.** Alma Flor Ada Lafuente
11. **Una casa de grandes arcos. Dos familias luminosas.** Alma Flor Ada Lafuente

Dolores Salvador
Maestra de Maestras

Alma Flor Ada

DOLORES SALVADOR
MAESTRA DE MAESTRAS

Quinta Simoni

MARIPOSA. Transformative Education

Portada: Altea Ortiz

Colección Quinta Simoni 10

Quinta Simoni is an imprint of
Mariposa Transformative Education Services
50 Pikes Peak
San Rafael, CA 94903
www.almaflorada.com
www.mariposatrasnformativeeducation. com

ISBN 978-1-938061-49-3

Printed in the United States of America

A las mujeres y niñas de las tres últimas generaciones de nuestra familia, y a las aún por venir, deseando que encuentren inspiración y apoyo en las extraordinarias mujeres que las precedieron.

mis hermanas

Flor Alma y **Loli Ada Lafuente**

y mis primas

Virginia de Miranda, Nancy Lafuente Varela,

Mireya y **Alma Díaz Lafuente**

mi hija

Rosalma Zubizarreta Ada

mis sobrinas

Marcie y **Ashleigh Fellers**

y mis sobrinas, hijas de mis primos,

Virginia María y **María Teresa Balbona de Miranda**

Virginia Dolores y **Giovanna de Miranda**

Carli Virginia y **Cassie Mireya Rodríguez Feo**

Virginia Brooke y **Savannah Rodríguez Feo**

Lola, Angela Maria y **Amy Gardiner Lafuente**

Shannon y **Lauren Díaz** y **Kristin Paroulo**

mis nietas

Samantha, Camille, Victoria, Cristina, Jessica, Collette

Zubizarreta

y

Camarie Shephard Zubizarreta

Tessa y Hannah Nayowith

mis sobrinas-nietas, nietas de mi hermana,

Emily Flor Pettit; Via, Sky, Harmony Rhode;

Ivy Grace Fellers,

Elva Gladys, Faye Modesta, y **Delphine Beverly Fellers**

mis sobrinas-nietas, nietas de mis primos

Mariela, Denisse, Liliana, Gianna Graciela, Roula y

Raizel de Miranda

Virginia Marie, Allison, Lauren y **Julia Roure**

Christine Nicole Perry

Sophie y **Phoebe Barr**

Vienna, Jayden, y **Sierra Vance**

Taylor Lauren y **Cameron Núñez**

Agradecimientos

Este libro no hubiera sido posible sin la colaboración de varios espíritus generosos.

Mi madre, Alma Lafuente Salvador y sus hermanas Virginia y Lolita Lafuente Salvador compartieron oralmente numerosas historias, y algo escribieron, sobre su madre, mi inolvidable Abuelita Lola.

Mi tía Mireya Lafuente Salvador, en particular, escribió ampliamente sobre su madre en el libro *Recuerdos*, publicado en una segunda edición como *Recuerdos de mi vida*, lectura esencial para quien quiera conocer a fondo a la familia Lafuente Salvador.

Algunos amigos en Cuba me facilitaron el hallazgo de textos escritos por Lola Salvador. Agradezco a Alga Marina

Elizagaray, gran amiga de siempre, a la Dra. Maribel Almaguer Rendón, y, en forma muy especial, a Jaime López García así como a Sibelis Celidor García, Directora del Museo Quinta Simoni y las museólogas Rebecca Hernández Arci y Jaíma Fonseca Gómez. Quiero también agradecer a todos los que cuidan y protegen la histórica Quinta Simoni, hogar de mi infancia, y reconocer a todos cuantos han hecho que me sienta tan bien acogida en el Camagüey.

Altea Ortiz ha cuidado con esmero las ediciones de los libros de la familia Lafuente-Salvador, publicados como Colección Quinta Simoni por Mariposa Transformative Education. Agradezco su colaboración que ha permitido que esta colección se amplíe significativamente.

Toda mi vida adulta he recibido el apoyo incondicional y constante de mis cuatro hijos: Rosalma, Alfonso, Miguel y Gabriel. En años recientes mis nietos han seguido el ejemplo de sus padres. Mi nieta Camila ha sabido encontrar y apreciar sus raíces cubanas, produciéndome con ello gran orgullo. Le agradezco que siga instándome a compartir todo cuanto sé de la familia.

Mis sobrinos Virginia de Miranda Roure y Jorge Balbona de Miranda compartieron conmigo la emoción de descubrir textos muy significativos escritos por Lola. En *La Fiesta del Árbol* ellos oyeron maravillados como se hablaba de su propia abuela, Virginia Lafuente, como una niña, del mismo modo que a mí me parecía increíble ver una referencia a mi madre como una niñita. ¡Qué poder el de la palabra escrita para preservar el pasado y volverlo inmediato en el presente!

Poder leerles, en voz alta, *Oración a la Bandera de la Escuela Carlos Manuel de Céspedes*, en el antiguo comedor de la Quinta Simoni, allí donde el recuerdo de la voz de Lola es tan vívido, fue una experiencia trascendental, sobre todo al comprender que esas palabras que yo nunca había leído resumían tan claramente el espíritu de ella, que más intuitiva que racionalmente, yo apreciaba ya a los seis años y que ha sido siempre mi pauta de vida.

A Isabel Campoy profunda gratitud por su comprensión y apoyo en este mi viaje a la semilla. Y por tanto más.

Contenido

I. DOLORES SALVADOR 17

PALABRAS DE SUS HIJAS 24

Por Mireya Lafuente Salvador

Recordando a mamá 28

Mamá 48

Por Alma Lafuente Salvador

Así era ella 67

Por Lolita Lafuente Salvador [poemas/canciones]

Dios, mi patria y mamá 75

A mi madre 77

Madrecita buena 79

De nuevo a mi madre 82

Extrañando a mi madre 83

PALABRAS DE SUS NIETAS 84

Por Virginia de Miranda Lafuente

Ella era inolvidable 84

Por Alma Flor Ada Lafuente

Mi abuelita, mi Paraíso 87

II. POR DOLORES SALVADOR 109

EN JORNADAS LÍRICAS de Medardo Lafuente

Ofrenda 110

Dedicatoria manuscrita 115

DE UN CUADERNO MANUSCRITO 116

¡Gracias, Camagüey! 120

¡A soñar! 123

¡Gracias, hermano! 125

Ideas a mi hija Lolita en vísperas de boda 127

Como utilizar el marabú 129

REVISTA DE LA ASOCIACIÓN FEMENINA DE CAMAGUEY

La Fiesta del Árbol 134

Oración a la Bandera de la Escuela Carlos Manuel de Céspedes 141

La archiselecta 146

Tragedia ignorada 155

REVISTA AVELLANEDA

Un caso 174

EL CAMAGÜEYANO

Lámpara Votiva. En la muerte de la educadora María Luisa Dolz 181

III. Lola Salvador, Maestra

Por Mireya Lafuente Salvador

Maestra de la Escuela Nocturna 190

La bandera de la Escuela 202

Algunas alumnas pasaron a ser maestras 208

Por Virginia Lafuente Salvador

Mis padres educadores 212

IV. Anécdotas

Por Mireya Lafuente Salvador 226

Lola Salvador, policía de tránsito 227

El cocodrilo 229

V. Información Variada

NOTICIAS Periodísticas

El Primer Congreso Nacional de Mujeres 234

CRONOLOGÍA 236

GENEALOGÍA 240

NOTAS 273

LIBROS DE LA FAMILIA LAFUENTE-SALVADOR 277

DOLORES SALVADOR MÉNDEZ

Camagüey, Cuba 1 de abril, 1887
Camagüey, Cuba 11 de octubre, 1943

Dolores Salvador Méndez la amada de Medardo Lafuente, su esposa, la madre de sus hijos, fue a su vez una educadora progresista, una luchadora por los derechos de la mujer, en particular las mujeres trabajadoras, así como, al igual que Medardo, de la clase obrera y los miembros de los grupos menos favorecidos o discriminados.

Gracias a la visión de su padre, Don Federico Salvador Arias, Lola tuvo la oportunidad de educarse como interna en el Colegio de María Luisa Dolz, en La Habana. Siempre guardó enorme gratitud a la gran educadora.

Hija de Marcelina [Mina] Méndez Correoso, mujer extraordinaria en su sencillez, tuvo de ella las más admirables muestras de tesón, de generosidad, de capacidad de sacrificio, de dignidad.

Graduación como maestra.

Primera de su clase

Colegio María Luisa Dolz

Lamentablemente no sé nada de su infancia y primera juventud y sus hijas que escriben de su personalidad y ejemplo tampoco abundaron en información sobre esa época.

Antes de casarse había escrito ampliamente artículos que firmaba con el seudónimo Azucena. Fueron esas páginas las que motivaron el interés de Medardo por ella y su decisión de viajar de La Habana, donde residía, a Camagüey para conocerla. Después de casada Lola escribió y publicó tanto cuanto sus labores de madre, de maestra y activista se lo permitieron. Pero no ha sido fácil encontrar sus escritos.

Sobre la relación con Medardo sugiero disfrutar de la lectura de las cartas de él que ella conservó y yo rescaté de entre papeles carcomidos por polillas y ratones y muchos años después de haberlas paseado por el mundo, durante mi vida peregrina, publiqué.

En esas cartas vemos a Lola insegura de iniciar una relación con él. En alguna de las cartas él cita las palabras que ella le escribió, posiblemente desde su firme postura feminista: “Hombre, no te necesito.”

Solamente podemos imaginar los conflictos de esta joven, hija de un padre poderoso, muy insertado en una ciudad colonial de firmes tradiciones, considerando el casarse con un inmigrante, que se auto-definía como bohemio, sin familia ni apoyo, que le había hablado de una relación amorosa anterior que le había dejado hondas huellas, algo a lo que alude en un par de cartas

El verano en que, sola en Mill Valley, pues Isabel estaba en España, me esforzaba por transcribir estas cartas, tarea no fácil por la condición del papel y la tinta, unidas a la letra difícil de leer, sufría viendo el dolor de él porque ella no quería comprometerse a una relación. Los momentos se me hacían agonizantes, tan cautivantes son las cartas que me mantenían inmersa en lo que ellos vivían. Quería dirigirme a ella y rogarle para convencerla que lo aceptara, como si mi propia existencia no fuera testimonio de que al final así había sido y el ardor que sentía en las venas no fuera la prueba de que siguen amándose en mi sangre.

Mantengo la ilusión de poder encontrar más de sus publicaciones. Por el momento incluyo aquí las páginas que he podido encontrar y lo que sus hijas y nietas han escrito sobre ella.

PALABRAS DE SUS HIJAS

Las cuatro hijas de Lolita Salvador hablaban frecuentemente con gran devoción de su madre.

Admiraban su inteligencia, su sentido común, su capacidad de enfrentar con creatividad y valentía los problemas de la vida. Apreciaban su cariño, su interés por ellas, su generosidad para familiares, alumnos, amigos y desconocidos. Reconocían su sensibilidad y su espiritualidad. Disfrutaban hablando de su buen humor y su ingenio para bromas y travesuras. Recordaban su amor por la naturaleza en todas sus formas. Y sobre todo vivían agradecidas de su infancia y juventud rodeadas de amor y comprensión y sentían un gran respeto, rayano en la veneración, por el profundo amor que Medardo y Lola siempre se manifestaron.

Medardo y Lola con sus dos hijas mayores, Virginia y Mireya y José Luis, el hermano menor de Medardo.

Siguiendo la tradición familiar de poner por escrito lo que se piensa y siente, Virginia, Mireya, Alma y Lolita Lafuente Salvador nos han dejado palabras en que hablan de su madre, que yo reproduzco con mi propio agradecimiento.

Mi abuela, a la que llamaba Mi paraíso, fue para mí una fuente de cariño incondicional y un constante acicate de la imaginación. Sembró en mí el deseo constante de aprender, pero sobre todo me dio el don de asomarme a la vida con ojos maravillados, dispuestos siempre a reconocer la riqueza de cada día y las posibilidades de usar cada día para ser mejor.

Para ella la bondad humana, la generosidad, la creatividad y el vivir responsablemente en respuesta al don de la vida no tenían límites y cada instante a su lado era motivo de gozo y descubrimiento.

Jamás podré agradecerle suficientemente estos regalos y por eso, a lo largo de la vida he tratado de aprender a ser la maestra que ella fue, he contado los cuentos que ella me contaba y otros más que recogen los valores que ella sembraba, y he querido reunir aquí todo lo que sé de ella, y lo que escrito por ella he encontrado, con la esperanza de que así su ejemplo inspirador siga vivo.

Recordando a mamá

por Mireya Lafuente en su libro *Recuerdos*

Mi madre, te recuerdo tanto, te agradezco tanto. Me llamaste cariñosamente tu Obra Maestra. Ahora comprendo muchas cosas que de niña no percibía.

Cómo supiste irme conduciendo, evitando que pudiera sentirme algo rezagada. Yo, de niña era muy delgada, tenía pecas en la cara, mi figura contrastaba mucho con la de mis hermanas que eran muy bonitas. Recuerdo que la gente decía que yo era la única que me parecía a papá. No es que él fuera feo; pero sus grandes valores y virtudes no estaban precisamente en su físico.

Tus fotos de cuando eras joven mostraban linda belleza y siempre mantuviste ojos preciosos de un azul acerado poco corriente y una encantadora sonrisa. Tu rostro mostraba siempre mucha dulzura.

Te conocí con cabello muy largo, después usabas melena. En tu manera muy práctica de enfocar la vida no cabía el dedicar mucho tiempo al cuidado de un cabello largo, y en cuanto llegó la moda de usar pelo corto, fuiste de las primeras en usar melena.

Entre mis más remotos recuerdos está el verte amamantando a Medardito y luego a Lolita. A todos nos criaste por largos meses. Jamás pensaste en que por cuidarte tú, debías reducir el tiempo de darle el pecho a un hijo. Sabemos que por la errónea teoría de aquella época, los médicos aconsejaban a las madres en gestación que comieran alimentos que pudieran engordar al feto, como leche condensada con malta, varias veces al día, porque estimaban que así la criatura sería más fuerte y saludable. Y así, además de llegarte a ver gruesa, pasaste dificultades al tener hijos que pesaron entre 10 y 13 libras.

Te recuerdo dándole comida a las gallinas, los patos, los gansos, las palomas y los lindos pavos reales. Salías muy temprano al corral donde ordeñaban las vacas y tú tomabas un vaso de leche aún caliente y con espuma, junto a la vaca que estaban ordeñando. También era peculiar que le pusiste nombre a cada una de las vacas y que había una que desde lejos, en el potrero, acudía a ti cuando la llamabas, le habías puesto tu nombre, se llamaba *Lolita*.

Allí en la Quinta Simoni, casona y terreno que quisiste tanto, crecieron tus hijos. Allí nació la menor, Lolita. También nació en Simoni tu nieta Almaflor, que fue para ti algo muy amoroso en tu vida. Después nacieron en aquella casona tres nietas más: Nancy, Florecita y Mireyita.

Nos enseñaste a querer a los árboles, a los pajaritos, sus nidos y pichones. Aprendimos poesías y canciones dedicadas a ellos. Nos hacías observar la belleza de la salida y de la puesta del sol y el arco iris invitándonos a distinguir sus colores. Hacíamos comparaciones con las formas de las nubes, el brillo de las estrellas, las varias formas que nos presentaba la luna.

Recuerdo que nos poníamos en competencia a ver quién cogía más cocuyos. Los colocábamos en un pomo y, luego, sin dejar pasar mucho tiempo, los soltábamos disfrutando de tantas lucecitas que se perdían entre las matas.

Mamá, nos hacías observar la gran variedad de mariposas y de flores. Nos explicabas cómo vivían distintas clases de animales: los enjambres de abejas, los panales de avispas, las bibijaguas, las hormigas, las arañas peludas, las ranas y las lagartijas.

Contemplábamos contigo cómo volaban en bandadas muchos pajaritos que obedecían a su jefe, girando todos al mismo tiempo. También podíamos distinguir muchas aves por el sonido de sus canciones.

De pequeños fuimos contigo a bañarnos al río, a coger marañones, manzanitas loras, guayabas, caimitos, racimos de plátanos. Contigo rastrillábamos las hojas de las matas de café, de los arbustos de jazmín, de la mata de mangos, del arbolote de nísperos que teníamos en aquel patio elegante de nuestra casona.

Recuerdo cómo nos gustaba bañarnos contigo en los fuertes aguaceros y cómo disfrutábamos de los grandes chorros del agua procedente de las azoteas.

También nos gustaba meternos en aquellos grandes tinajones que tú compraste para embellecer aún más aquel patio.

No olvido que muchas noches salíamos al patio a recoger los dulcísimos nísperos que nos regalaba aquel árbol centenario. La mayoría de los nísperos que caían eran tumbados por los murciélagos que vivían en el cielo raso del portal.

Mamá, te recuerdo organizando excursiones en aquel automóvil que tuvimos cuya chapa tenía el número 25. Fueron muchas las excursiones, algunas a lugares muy lejos de Camagüey.

Teniendo en cuenta que en aquel entonces Camagüey carecía de carreteras asfaltadas, había que viajar por caminos de tierra que en temporadas de lluvia se hacían intransitables. En más de una ocasión nos atascamos en lugar de mucho fango y cuando no lográbamos salir del pantano, papá se iba caminando hasta algún bohío a pedirles que fueran con una yunta de bueyes a halar la máquina, a la que llamábamos *"La 25"* y sacarnos del pantano. Mientras esperábamos a papá, tú hacías chistes o tratabas de descubrir bellezas en los alrededores.

Recuerdo que organizaste excursiones a las Cuevas de Cubitas, a Puerto Piloto, al Entronque de Manatí, y un viaje de varios días hasta Santiago de Cuba. Aquella travesía resultó inolvidable. El río Cauto lo atravesó *"La 25"* montada en una balsa de palos.

En Bayamo visitamos los lugares históricos y tú aprovechabas para enseñarnos historia de Cuba. Visitamos El Cobre, sin dejar de ver a la Virgencita de la Caridad.

Era una noche oscura, y estando a una gran elevación, de momento al dar una curva se vio la ciudad de Santiago de Cuba. Y ante aquel panorama en el que, en el bajío, se veían muchos miles de luces, dijiste: *"Miren, es un semillero de cocuyos."*

Recuerdo que durante un par de años más o menos, el país se vio castigado por una malísima situación económica y cómo tú, que siempre estabas llena de buenas iniciativas, con tu mejor sentido práctico, lograste atravesar aquella temporada de la mejor manera posible.

Decidiste que tus hijos dedicaran su tiempo a recibir clases de música y a otras cosas productivas o recreativas, según nuestras edades, logrando que no tuviéramos que dedicarnos a la limpieza, la cocina o el lavado de ropa, diciendo que para hacer esas actividades, siempre habría tiempo.

Tú, sin recibir dinero —porque el Gobierno no les estaba pagando a los maestros— te las arreglabas, consiguiendo que otras personas, a cambio del alquiler de la vivienda, en los cuartos del fondo de la casona que no ocupábamos nosotros, o a cambio de huevos, pollos, etc., ordeñaran las vacas, le pusieran media suela a los zapatos, o realizaran los quehaceres domésticos. ¡Qué mujer y qué madre tan completa fuiste!

No olvido que nos inculcabas que tuviéramos atenciones con papá. Nos hablabas de su gran cultura, de lo famoso que era como orador, de sus poesías, nos dabas ejemplos de su buen carácter y generosidad, y así acentuabas nuestro cariño hacia él y nos sentíamos contentos de tenerlo por padre.

Por nuestra cuenta, velábamos por las tardes, cuando distinguíamos que él venía caminando por la acera de regreso de su trabajo, cargando un cartucho de pan fresco, corríamos hacia él compitiendo quién lo abrazaba primero.

Papá estuvo preso en La Cabaña [junto con otros cuatro profesionales de Camagüey] por motivos políticos en la época del "machadato". Cuando los dejaron en libertad nos avisó que ya iba a regresar a casa y que venía acompañado de una niña que era la hija de su primo Félix Demetrio Fuentes.

Cuando eso, tú, mamá, nos hablaste de que esa niña sería una hermana más para nosotros y nos explicaste que en La Habana los niños vivían en una forma muy diferente a como nosotros vivíamos en la Quinta. Que teníamos que dejar pasar un poco de tiempo para que se acostumbrara y que no creyéramos que esa niña era menos lista que los demás niños. Nos sembraste en la mente lo bonito que era que conociéramos y conviviéramos por primera vez con un miembro de la familia por parte de nuestro padre. Esa niña, Maruca, efectivamente muy pronto se conducía igual que cualquiera de nosotros, sus primos, y además compartía con alumnos del colegio que funcionaba en casa.

Tú, papá y la Quinta Simoni nos dieron una infancia felicísima. En el portal de nuestra casona jugábamos formando ruedas o líneas y con canciones folklóricas pasábamos varias horas. Otras veces jugábamos a los escondidos contando hasta 51. Fueron muchas las actividades divertidas que practicamos en ese portal, y no se queda atrás el uso del patio. En el coqueto quiosco que había en el patio jugamos mucho a *"los cocinaditos"*, imaginándonos platos que creíamos cocinar usando hojas, semillas, papeles, raíces, etc.

Por tu iniciativa, como señalé antes, funcionaba en casa un colegio privado. Y tú, pensando en tus hijos, le pusiste de nombre nuestros apellidos: *"Colegio Lafuente-*

Salvador". Esto motivó más momentos de alegría en mi vida. Así crecí junto a muchos muchachos más o menos de mi edad. Jugábamos a la pelota, practicábamos saltos, incluyendo el de garrocha, teníamos competencias de carrera libre y de relevo, etc. Estábamos juntos en el aula y, con frecuencia, nos hacíamos travesuras de estudiantes.

Recuerdo que arrendaste a una familia china un lote de terreno de la Quinta. En ese lote había una casa pequeña de madera. Ellos hicieron una enorme hortaliza y vivían de la venta de sus productos: lechuga, berro, nabos, remolachas, chayotes, tomates, ajíes, coles, frijoles, etc. A mí me gustaba mucho caminar entre los canteros de aquellos sembrados.

En los terrenos de la Quinta, además de las vacas, teníamos caballos. Yo llegué a ser una buena jineta. Recuerdo una yegüita de cómodo y bonito andar. Era mía, aunque después de adultas, mi hermana Alma cree que ella era su dueña. Y por cierto, aquí no dejo de citar que yo, creyendo hacerle un buen favor a un anciano, le presté mi yegua y el viejo me engañó. Me la robó y perdí para siempre la yegüita.

Además de las matas o árboles de frutas que antes mencioné, en los terrenos y potreros había álamos, framboyanes, pinos, pitos (cañas bravas), algarrobos, palmas, piñones y otros. Además había un lote bastante grande lleno de matas de marabú.

Yo caminaba muchos por aquellos terrenos y me gustaba cortar varitas que fueran rectas, y les hacía decorados en la corteza. Eran de distintas clases de plantas, y solía tener uno de esos palitos rectos, lisos o decorados, detrás de cada puerta de nuestra casa. Me gustaba caminar en zancos y yo misma los confeccionaba. Era para mí divertido trepar a las matas y muy especialmente al árbol enorme de caimitos que había en *"La Isla"*, una isla que había formado con sus meandros el viejo río Tínima detrás de nuestra casa.

Y como si fueran pocos todos los motivos de diversión que teníamos en la Quinta, ¡qué generosos eran con nosotros los Reyes Magos!

No olvido una *"cigüeña"* que fue uno de los juguetes que más usé. La montaba y dándole a su brazo hacia delante y hacia atrás cogía una velocidad increíble. Como teníamos frente y junto a la casa una acera de varios cientos de metros de largo, muy bien cimentada, se disfrutaba mucho de aquellos vehículos de juguete. Teníamos velocípedo, triciclo, bicicleta y patines, además de mi cigüeña.

Mamá, también recuerdo que siempre que instalaban en la Plaza de la Caridad el parque de diversiones con aparatos de estrella giratoria, caballitos, y otros juegos allá nos llevabas tras larga caminata.

Aquel terreno amplio que estaba frente a nuestra casa, que entonces llamaban *"Plaza de La Habana"*, también fue lugar de recreación. Allí bastantes personas, niños y mayores, iban a empinar papalotes y allí estábamos nosotros con los nuestros. Como había quien le enganchaba a la cola del papalote una cuchilla de afeitar para cortarle el hilo a otro papalote cualquiera, resultaba ingenioso dirigir el de uno a la defensiva, huyéndole al que se acercaba. En ese lugar algunas veces llevaban un circo del cual éramos puntuales espectadores.

Otra cosa en que demostraste cómo buscabas el mejor desenvolvimiento de tus hijos, inclusive siendo bebés, fue aquel corral enorme que mandaste hacer a un carpintero para que tu hijita Lolita tuviera amplitud, gateara o caminara siguiendo la larga baranda. Allí nos metíamos a jugar con ella.

Fuiste, además de madre, nuestra maestra. Trabajabas en la escuela pública nocturna cuya creación tú misma lograste. El alumnado eran muchachas jóvenes y adolescentes. Yo allí fui también una de tus alumnas.

Fuiste una maestra de una labor gigante. En el aula aprovechabas tus enseñanzas para moldear las almas y hacer buenas ciudadanas. En las fechas patrióticas, además de la explicación y del conocimiento histórico, decíamos poesías, cantábamos himnos y en alguna ocasión participamos en algún desfile escolar en la ciudad; pero la fecha que más recuerdo era la del Día de las Madres. Cómo hacías pensar, y a veces hasta llorar, al hablar de lo que es una madre, de lo que hace por su hijo, lo que sufre si se le enferma o tiene algún fracaso, lo que disfruta por sus éxitos y con el cariño que el hijo le prodiga.

Nos contaste cómo se fundó el Día de las Madres y nos inculcaste que usáramos ese día una flor roja o una blanca, para significar si teníamos la dicha de tener nuestra madre viva o la desgracia de que hubiera fallecido. Nos hacías redactar composiciones y no faltaban poesías alegóricas a la fecha.

Eran tan lindas tus clases que había siempre varios hombres en la acera, pegados a las grandes ventanas, escuchando tus enseñanzas y hubo momentos en que rompieron en aplausos.

Recuerdo que siempre, cada día, nos dabas a conocer anécdotas de cultura, ya frases célebres, ya leyendas mitológicas, ya sucesos históricos, o algún pensamiento de Martí.

Fuiste tú quien organizó un viaje a los Estados Unidos. Podías haber viajado más fácilmente si lo hacía sólo la pareja; pero seguramente por la intensidad de tu amor maternal, preferiste llevar a una de tus hijas. La mayor quedaba cuidando a los menores y fui yo la que pude participar de tan lindo viaje.

Visitamos varias ciudades del este de los Estados Unidos, llegando hasta Nueva York. Durante el mes que duró el paseo yo fui la hija que tuvo el privilegio de andar con papá y mamá a solas. Tenía entonces trece años.

En aquella época era todo un acontecimiento viajar al extranjero. Gracias, mamá.

Cuando cumplí catorce años recuerdo que me sentaste en tus piernas y tras una bonita conversación me informaste que tú y papá habían acordado enviarme a estudiar a una escuela de señoritas en La Habana. Era la Escuela del Hogar, que entonces era la única escuela de ese tipo en toda la nación.

Aunque en aquel momento se me juntó el cielo con la tierra, después reconocí el gran acierto que tuvieron conmigo ustedes, mis padres, y que fue por iniciativa tuya. Mi futuro se encauzó gracias a ese primer título que obtuve en la Escuela del Hogar.

Recuerdo que ya siendo jóvenes nos embullabas a que nos divirtiéramos. Entonces Virginia vivía en Nuevitas y Lolita era pequeña. Yo me divertí mucho con Alma y con Medardo, asistiendo a fiestas de San Juan, a fiestas en casa de amigos, y a bailes en el Hotel Camagüey, en El Ferroviario y en La Popular.

A Medardito le gustaba acompañarnos a los bailes y también bailar con nosotras. Él era muy alegre. También Alma y yo formábamos parte de un grupo de jóvenes muy entusiastas que nos reuníamos con frecuencia y una de nuestras diversiones era visitar en forma de asalto, es decir sin avisar, casas de familiares y de personas con posiciones influyentes. Alguno de los asaltados nos puso de nombre *"La polilla"*. Alma y yo la pasamos muy bien. En cada recuerdo grato, en una u otra forma, apareces tú, mamá.

Mi madre, también yo te agradezco los hermanos que me diste: Virginia, Alma, Medardo y Lolita. Y faltando tú, papá, y mi hermano varón, en mi vida de adulta reconozco que mis tres hermanas han sido mi mejor tesoro.

Hoy, Día de las Madres, cómo te recuerdo. Y alrededor de ti cuántos y cuántos dulces recuerdos borbotean en mi mente.

Mireya Lafuente Salvador

R
E
C
U
E
R
D
O
S

Mamá

por Mireya Lafuente en su libro *Recuerdos*

Dolores Salvador Méndez (Lola), hija de don Federico Salvador Arias y de Marcelina Méndez Correoso nació en Camagüey, Cuba el día 1 de abril de 1887. Fue la tercera hija entre quince hermanos.

Físicamente fue linda. Tenía unos ojos de color azul acerado preciosos y muy expresivos. Tuvo pelo largo, con mucho cabello, que le llegaba a la cintura, hasta que nació su última hija y decidió cortárselo. Desde entonces usaba siempre melena.

Se casó con Medardo Lafuente Rubio el día 21 de julio de 1911 y tuvieron cinco hijos: Virginia, Mireya, Alma, Medardo y Lolita. Formaron buen matrimonio, la pareja estaba equilibrada por espiritualidad, caracteres y cultura. Nunca se les oyó discutir, vivieron juntos 28 años hasta que la muerte los separó. Al compararlos yo creo que papá tuviera aún más cultura que mamá y que extendía aún más el grado de generosidad, pero me parece que mamá lo aventajaba en iniciativa, en sentido común y en la vida práctica.

Mamá hablaba inglés como segunda lengua y traducía el francés con la misma velocidad como si estuviera leyendo español.

Ella estudió como alumna interna en La Habana, en el Colegio María Luisa Dolz y toda su vida mantuvo un recuerdo adorable de aquel colegio, que llevaba el nombre de su directora.

Lola fue una alumna distinguidísima, a tal extremo que después de unos veinte años de graduarse, y de haber estado desligada del Colegio, recibió una carta de la Dra. María Luisa Dolz, informándole que ella por su edad tenía que retirarse de la Dirección del Colegio y que quería dejarlo en buenas manos y que habiendo sido ella la mejor alumna que recordaba de todos los cursos escolares desde que el Colegio se fundara, le ofrecía a ella la dirección del mismo, a sabiendas de que sabría mantenerlo y hasta superarlo.

Aquella carta llenó a mamá de emoción; pero por saber lo muy felices que eran sus hijos en la Quinta Simoni, y también por amor a dicha Quinta, ella contestó que no.

Una de las cartas más lindas que mamá escribiera en su vida fue ésa, donde le contestó a su muy querida y admirada Directora todo lo que le agradecía tan alta distinción, pero que no podía ir a vivir a La Habana.

Mamá de soltera fue escritora de la Revista Femenina de Camagüey. Esta fue una revista selecta, culta y elegante. Hasta los anuncios comerciales eran especiales en presentación y redacción. Ella firmaba los artículos que escribía con el pseudónimo *"Azucena"*. Después se dedicó al magisterio.

Describir físicamente a Lola Salvador y relatar anécdotas de su vida no es difícil. Pero decir cómo era ella no es nada fácil y resulta atrevido. Aunque yo sé que sólo muy pobremente podré hacerlo, voy a atreverme, mezclando mi opinión con sucesos de su vida.

Mamá fue un ser superior, y como dijo Martí, tuvo que vivir en un siglo que no era el que debió haberle correspondido; me refiero al pensamiento del Apóstol cuando dijo: *"¡Qué dolor ver claramente en las montañas de los siglos futuros y vivir enclavado en su siglo!"*

Fue madre y maestra extraordinaria, y al decir maestra no se puede pensar que lo fuera sólo de sus estudiantes en el aula, era maestra en todo momento, y maestra de todo aquel que hablara con ella.

Tenía un sentido común bien desarrollado y combatía que los demás carecieran de él. No dejaba pasar una oportunidad de despertar a las gentes, aun en cosas sencillas. Ese sentido común la hacía ser muy práctica y deseaba saborear de la vida todo lo mejor, vivir al máximo todo lo bueno que la vida le ofreciera, y trataba de sembrar esa idea en los demás.

Disfrutaba lo importante y lo sencillo. Muy frecuentemente le daba gracias a Dios por lo sabroso que era haber bebido un vaso de agua fría, se le oía decir jocosamente y con verídico sentimiento: *"¡Dios bendiga al que inventó el agua!"*

Cuando llegaba de la calle y se cambiaba los zapatos de tacones por zapatos bajos y muy usados decía: *"¡Dios bendiga al que inventó los zapatos viejos!"*

Le gustaba levantarse muy temprano e iba al lugar de la Quinta donde ordeñaban las vacas y se tomaba un vaso de leche, llena de espuma, acabada de ordeñar, con la tibieza de la ubre. Conversaba con el ordeñador sin olvidar hablar también con sus vacas. A cada vaca le puso un nombre. A una de ellas le puso su nombre, *Lolita*, y cuando caminaba por el potrero la llamaba en alta voz y la vaca venía a donde estaba ella; pero respondía sólo a su voz.

Cuando mamá se dirigía al lugar del ordeño cantaba unas estrofas que hizo y entonó. Ésta era su pequeña canción matutina:

Ya está aquí mi amigo el Sol
y con él mi amigo el Día,
y gracias te doy, Señor,
por hacerme emplear bien
a mi buen amigo el día.

Por las tardes la misma canción la alteraba al pasado:

Ya se fue mi amigo el Sol
y con él mi amigo el Día,
y gracias te doy, Señor,
por haber empleado bien
a mi buen amigo el día.

No concebía vivir un día sin estar satisfecha de sus actividades en ese día. Era muy comunicativa, y cuando había tenido un día verdaderamente fructífero en cualquier orden, lo contaba con alegría.

Mamá era una persona de muchas iniciativas y sabía salir airosa de las situaciones que tuviera que afrontar.

Sus amigos eran de todas las clases sociales. Orientaba acertadamente a la gente que acudía a ella. Dedicaba el tiempo necesario en todos los asuntos, pero no permitía que le usaran su tiempo inútilmente y con acertada claridad, sin ser incorrecta, terminaba las conversaciones o las visitas. Hablaba mucho del valor del tiempo y no concebía que los demás lo malgastaran.

Mamá era alegre, le gustaba la música, el baile, los chistes, los juegos. Los últimos meses por la noche muchas veces jugó Monopolio. Mamá sonreía con mucha frecuencia y comentaba que la sonrisa era un hábito bonito, a veces generoso y que abría puertas.

No resistía que sus hijos y sus alumnos practicaran malos hábitos y llamaba la atención sobre las manías, por ejemplo: dar golpecitos en el pupitre, mascar chicle, pestañear seguidamente, morderse los labios, comerse las uñas, mover incesantemente las piernas estando sentado, etc.

Mamá estaba liberada del *"Qué dirán"* y ella vivía en la forma que creía que era mejor ante Dios, sin darle importancia a la última moda en el vestir, a que la vieran con un sombrero de guano, que llegaran a casa personas elegantes y encontraran que la sala estaba toda regada porque los hijos estábamos retozando en ella. Desde luego que su personalidad superaba cualquier cosa que pareciera chocante. Y mamá decía: *"Dentro de cien años nadie se acuerda de eso."*

Una de las muchas poesías que aprendimos de ella (después de explicarnos que para los árabes es de una importancia grande haber visitado La Meca) es la siguiente:

Peregrinos a la Meca
a la par iban dos árabes
y los perros al camino
les salían a ladrarles.
Sin hacerles caso, uno
prosiguió siempre adelante
pero airado el otro, piedras
no cesaba de tirarles.
De la Meca al año justo
regresaba el caminante
y halló al otro todavía
enredado con los canes.
—Pero, imbécil, ¿no conoces
que hasta el final de su viaje
nunca llega el que hace caso
a los perros que le ladran?

Lola le buscaba a todo la parte bonita, nos inculcaba mucho eso como cosa esencial. Nos ponía ejemplos de personas que no saben ser felices, hablaba de quienes viajan y a su regreso sólo comentan cosas desagradables y censuran los lugares visitados. Nos decía que eran desgraciadas y estaban mal dotadas espiritualmente aquellas personas que sólo buscan los defectos y aquellos que se especializan en conversar de enfermedades.

Yo no olvido que en el aula recitó una poesía cuyo argumento era que en un camino había un perro muerto, y que los caminantes al verlo se molestaban y decían frases desagradables, como *"¡qué espectáculo repugnante!", "¡qué asqueroso ese animal!", "¡ya tiene mal olor ese perro muerto!"* Y la poesía terminaba diciendo que después pasó Jesús y dijo: *"¡qué dientes tan blancos tiene!"*

Mamá era muy romántica y hacía comparaciones muy bonitas con las nubes, con las flores, con los cantos de distintos tipos de pajaritos. Le gustaba la lectura que tratara de argumentos tiernos. A ella con facilidad se le aguaban los ojos al saber de cosas que enternecían. Yo creo que en ella había más emoción que lo que es común en los seres humanos.

Lola Salvador, Medardo Lafuente
y sus cinco hijos.
De menor a mayor: Lolita, Medardito, Alma,
Mireya, Virginia, Lola y Medardo.

Cuando éramos niñas ella nos hacía los vestidos. Todo lo que hacía era lindo y de buen gusto. Toda su vida le gustó que nos sentáramos en sus piernas, aún después de que fuéramos grandes.

No debo dejar de citar que a todos sus hijos nos crio dándonos el pecho hasta que teníamos unos dos años. Jamás tuvo un pensamiento de egoísmo que pudiera restar la alegría y la felicidad de sus hijos. Mamá estimaba que aquellos que tuvieran una infancia feliz, sabrían, de grandes, luchar, buscar, conseguir y sentir la felicidad.

En una época económica muy seria que vivió la nación, *"el machadato"* [durante la dictadura de Gerardo Machado] se puede decir que se vivía sin dinero. A los maestros el gobierno les llegó a deber once meses de sueldo. Por iniciativas de mamá nosotros la pasamos sin carecer de lo indispensable, y hasta con comodidades, como era, por ejemplo, el no tener que hacer nosotros los quehaceres de la casa. La parte de atrás del patio de la Quinta tenía cuartos grandes que mamá alquiló a cambio del lavado de la ropa o del servicio de limpieza.

Medardito Lafuente Salvador y Lola Salvador de Lafuente a caballo en la Quinta Símoni

El zapatero nos ponía media suelas a los zapatos a cambio de huevos. El que ordeñaba las vacas tenía derecho a un cubo de leche. Los que sembraban lo hacían a cambio de parte del producto. La cosa es que ella lograba arreglos con los que se resolvían las necesidades nuestras y a la vez salían beneficiados los que trataban con ella.

A mamá le gustaban mucho los pavos reales. Le encantaba contemplar al macho cuando abría la cola haciendo temblar todo aquel lindo plumaje y cómo caminaba con pasitos cortos muy coquetos alrededor de su enamorada.

Mamá logró tener en la Quinta crías de distintos animales, además de las vacas había cerdos, gansos, patos, pavos reales y una gran cría de gallinas.

Las gallinas se criaban sueltas. Mamá se veía muy graciosa, todas las mañanas, rodeada de sus gallinas mientras les daba maíz.

A nosotros nos encantaba cuando encontrábamos nidales con huevos o cuando descubríamos a una gallina que regresaba seguida de pollitos.

Papá y mamá compraron un automóvil. Era un Ford. Lo compraron nuevo, pero en aquel entonces los carros eran muy diferentes a los de ahora. Nombraron a un chofer que se llamaba Manuel y en ese carro dimos muchas buenas e inolvidables excursiones que organizó mamá.

Lola y sus gallinas

En aquella época no habían hecho la Carretera Central y las carreteras que había eran muy cortas, partiendo de ciudades importantes. Lo que había eran caminos de tierra que frecuentaban caballos, carretones tirados por caballos y carretas tiradas por bueyes. Por esos caminos que nunca habían visto un automóvil, en forma de aventura, íbamos de paseo. Siempre íbamos papá, mamá, los cinco hermanos, a veces llevábamos algún alumno y, naturalmente, el chofer. Fuimos en diferentes ocasiones a las Cuevas de Cubitas, a los Cangilones del río Máximo, a puertos de la costa norte, a la playa de Puerto Piloto, al Entronque de Manatí. El viaje más largo que dimos fue hasta Santiago de Cuba.

Estuvo de visita en Camagüey, invitada por el Círculo de Profesionales, Mercedes Pinto **[1]** quien era una conferencista española que andaba de gira por varios países hispanos. Esta señora daba conferencias en forma de charlas. Gustaba mucho, el teatro se llenaba. Trataba asuntos que caen en los campos de la sociología y de psicología, por ejemplo, hablaba de cómo debemos vivir, cómo debe ser la familia, etc. y citaba ejemplos simpáticos, amenos y sabios. Sus conferencias duraron varios días.

La Sra. Pinto se interesó en conocer a mujeres con quien discutir sobre sus charlas, y la llevaron a donde estaba mamá. Esta señora quedó encantada con mamá y la simpatía fue mutua. Tenían ideologías muy parecidas. Nunca vi a mamá sosteniendo visitas tan largas como con la Sra. Mercedes Pinto quien fue a casa en repetidas ocasiones. Elogió mucho a mamá y la comparaba con famosas literatas y le dio de regalo a mamá un pasador *"como recuerdo a su gemela de sentimientos."*

Mamá fue abuela cuando Virginia tuvo su primer hijo. De los nietos que pudo conocer con la que más trato tuvo fue con Almaflor. Vivían en la misma casa y tenían gran afinidad espiritual. Almaflor perdió a su abuelita cuando tenía 5 años y nueve meses. Y con la abuela también perdió a su maestra.

Cuando papá murió, en octubre de 1939, recuerdo que mamá hizo una pequeña almohada. La hizo de seda blanca y el relleno era de pequeñas y suaves plumas de ganso. Entre las plumas colocó algunas flores de azucenas. La almohadita estaba rociada con sus lágrimas que fueron cayendo mientras la aguja se hundía en la seda. Al dar por terminada su almohadita, la besó y fue a la caja mortuoria que contenía el cadáver de papá y colocó la almohadita debajo de su cabeza amada. ¿Cuántos pensamientos llevaría clavada aquella almohadita? ¡Qué mundo tan grande de recuerdos y de sentimientos llevaría a la tumba aquella almohadita! Sólo yo, su hija Mireya, la vio confeccionar la almohadita.

Mamá murió cuatro años después que papá. Falleció el 11 de octubre de 1943, unas cuantas horas después de haber pronunciado un discurso sobre el patriota cubano Carlos Manuel de Céspedes. La escuela nocturna de mamá tenía ese nombre y el Ayuntamiento le pidió que ella pronunciara el discurso de aquella fecha patriótica que era el 10 de octubre. No se sabe si fue la emoción que vivió al pronunciar aquel discurso, que tal vez haya sido el mejor que jamás se le dedicara a aquel patriota cubano, el que la llevó a la muerte. Pero pensemos que Dios le había fijado ese día para acercarla más a Él. Mamá murió a la misma edad y en la misma forma que su padre, a los 56 años, y por la noche en su cama, durmiendo.

El vacío que dejó mamá es indescriptible. Es precioso oír a sus alumnos hablar de ella. Y entre sus hijas vive latente el orgullo de haber nacido de ella.

Mamá continúa orientándonos, ya que en nuestros momentos de duda nos preguntamos: *"En este caso, ¿qué hubiera hecho Mamá?"*

Así era ella

por su hija Alma Lafuente Salvador
en el libro *Recuerdos* de Mireya Lafuente

Hacía mucho calor en el aula y eso impacientaba a los alumnos y ella, la maestra superior en todos los sentidos, captó la situación y preguntó a la clase:

—¿No les parecería mejor que diéramos la clase bajo los frondosos álamos del campo de juegos?

Aplausos y exclamaciones de alegría fueron la respuesta. Salimos todos corriendo. Nunca fuimos más rápidos en aceptar una idea.

Al poco rato, todos sentados en la hierba bajo aquellos árboles centenarios escuchábamos atentamente la voz clara e inspirada de la maestra sin par.

Hablaba del desinterés general hacia el prójimo:

—¿No está tal vez en nuestras manos la ayuda que a otros le es del todo necesaria?

Y así surgieron tópicos y temas del medio ambiente social.

Estando en estos análisis vemos a un pobre viejo arrastrando sus pies y su alma, pasar cerca de la reja que nos separaba de la acera. Al verlo, ella, la maestra ejemplar, nos dice:

—Miren a ese pobre viejo. Fíjense qué esfuerzos hace para caminar. Quizá hasta tenga sed y no se atreve a pedir un poco de agua. Tal vez no tenga ni un sitio a donde ir; y, sin embargo, aquí estamos nosotros que quién sabe si pudiéramos ayudarle.

—¿Quiere que le pregunte, Lolita? Fue la voz de Eduvigis Torné, una muchacha vivaracha y alegre, de piel morena y de inteligencia vivaz y despejada.

—¿Por qué no? —contestó la maestra. —Ve y pregúntale si podemos ayudarle.

Y rápida, decidida, con voz firme, se acercó Eduvigis a la reja, llamándolo:

—Señor, señor...

Y cuando el viejo volvió la cabeza, le preguntó con tono dulce y mostrando interés:

—¿A dónde va, viejito?

—Ando buscando la sombra de un árbol donde dejar mis huesos...

Ella vuelve corriendo hasta el grupo y repite las tristes palabras, y la maestra clama:

—¿Y vamos nosotros a permitir tal cosa? ¿No creen ustedes que entre todos podemos ayudarlo?

Las exclamaciones positivas llenan el aire.

—Bien —dijo ella. —Ve y dile al señor que no se preocupe, que nosotros vamos a atenderlo. Y volviéndose a la clase:

—Muchachos, allá en el fondo de la escuela tenemos un cuarto lleno de trastos que no utilizamos. Vamos a limpiarlo y a prepararlo para nuestro huésped.

Nos colocó en fila y cada uno pasaba al otro, sillas, pupitres, camas y diferentes cosas que se habían acumulado en aquel cuarto. Una vez vacío nos dimos a la tarea de limpiarlo. Colocamos algunos muebles útiles y una cama que quedó al poco rato vestida de limpio con sábanas del dormitorio.

Trajimos al anciano a quien ella, la mujer admirable, alentó con sus palabras.

El viejo tosía mucho y uno de los alumnos cuyo padre era médico dijo que él sabía que su padre se sentiría contento de venir a verlo y reconocerlo. Otro ofreció traerle ropas de la tienda de su padre. Otro estaba seguro de que su tío, el farmacéutico, le daría las medicinas necesarias. Y la lista se fue haciendo cada vez más larga.

Al poco tiempo el viejo parecía menos viejo. Ya no estaba tan pálido, la tos le había disminuido, sus ropas limpias y nuevas ayudaban también a mejorar su aspecto. Todos los días nos turnábamos para sacarlo al sol y andar con él un rato. Comendamos a saber de su vida y muchas cosas interesantes de sus épocas buenas y malas.

Pasó varios meses allí, querido y atendido; pero encontramos, después de discutirlo, que sería mejor para él ingresar al asilo de ancianos. Cada domingo, que era día de salida, venía a visitar a la maestra y a traerle un manojo de flores silvestres.

Y aquellas flores, para otros despreciables, porque crecían en la maleza, para ella, la inigualable, eran las flores más bellas.

Nos turnábamos para ir al asilo y llevarle al anciano cigarros y dulces y nuestra demostración de afecto y para hacerle saber que no estaba solo en el mundo. Era tal vez el anciano más visitado de todos los allí asilados. Y así fue hasta que nos informaron que había muerto.

Ya no llegaron más flores silvestres el búcaro de nuestra maestra; pero jamás podremos olvidar aquella lección tan hermosa y tan vivida; y es que... así era ella.

¿Su nombre? Lolita Salvador, mi madre, a quien cada día bendigo y quien seguramente ocupará el mejor sitial en el cielo.

Alma Lafuente Salvador

[Este relato, recibido oralmente de mi madre y de mis tías, dio lugar a la publicación del capítulo "La maestra" en el libro *Allá donde florecen los framboyanes* —publicado también en inglés como "The Teacher" en *Where the Flametrees Bloom*—. Este libro es ahora parte de *Tesoros de mi isla: Una infancia cubana*, en inglés, *Island Treasures: Growing Up in Cuba.*

Cuando publiqué el relato no sabía que existiera esta versión escrita de mi madre. Aunque hay alguna diferencia en cómo yo recordaba haber oído la historia, la versión que escribí es totalmente fiel al espíritu de esta semblanza. —*Alma Flor Ada*]

Díos, mí patría y mamá

canción por su hija Lolita Lafuente Salvador

La noche se adorna
de luna y estrellas,
mi alma sensible
se pone a soñar.
En mi pensamiento
hay tres cosas bellas
a las que quisiera
mi canción brindar.
        La primera es Dios
que la inmensidad
de su gran amor
todo nos lo da.
        La número dos.
mi Cubita linda
esa tierra hermosa
donde yo nací.
        La número tres,
pues hay otra más,
y esa otra es
mi linda mamá.

Que dulce es cantar
a cosas hermosas
a mi Dios, mi Patria,
y a ti, mi mamá.

Dios, mi Patria y Mamá.

Lolita Lafuente y su querida guitarra

A mí madre

por Lolita Lafuente Salvador

**[En el día de su entierro.
Quinta Simoni, Camagüey.
12 de octubre de 1943]**

Oh, madre bondadosa, qué solos nos dejaste
en la vieja casona de nuestros ideales...
Si vieras a tus hijos, como tú lo soñaste:
por tu memoria unidos, serenos y triunfales.

Oh, madre valerosa que al Espacio marchaste
sin dejar el consuelo de una despedida,
verás que la enseñanza que en sus almas
sembraste
será antorcha magnánima para guiar sus vidas.

Tú que fuiste mi todo, que fuiste la mentora
que a éstos, tus alumnos, educaste y uniste,
que tus hijos se enlazan, como tú lo quisiste.

Sabrás que veneramos tus múltiples ejemplos;
verás que recordamos tus santos sacrificios;
verás que no olvidamos que fuiste nuestro
templo,
y sabrás que vivimos imitando tu oficio.

Yo quiero que tú sepas, ¡oh, Madre de mi alma!
que estamos confortados con tu separación;
que nos hemos llenado de la sublime calma
que para bien de todos nidó en el corazón.

Y basados en esto: en la resignación
que el Señor ha brindado con toda gentileza
empezamos de nuevo en la navegación
que tronchó bruscamente un rasgo de tristeza.

Unidos comenzamos a bregar por la vida
ahora que te fuiste tras nuestro padre: tu amor;
y unidos seguiremos curando las heridas
que a alguno de nosotros pueda hacer el dolor.

Madrecíta buena `

por Lolita Lafuente Salvador

Madrecita buena,
mi mamá querida,
todos ellos piensan
que has muerto, mamita.
Porque aquella tarde
fueron al sepelio
y hasta el camposanto
siguieron tu entierro. . .
Y aunque fuera cierto
lo que ellos han visto,
yo sé que no has muerto:
no has muerto, yo insisto.
Yo sé que tú vives
en cientos de formas. . .
Te siento conmigo.
Mi vida tú adornas
con tu alma pura
tan sentimental,
de amor y ternura
rico manantial.
Y cuando si acaso
me envuelve la pena,

yo siento tu abrazo,
madrecita buena. . .
Y cuando frecuente
vivo una alegría
siempre estás presente,
mamacita mía.
Del gran sol bajando
entibias mis día;
y estás alumbrando
la esperanza mía.
En la noche oscura
no siento temores
porque tu ternura
me infunde valores.
Nunca olvidaré
la triste mañana
que tanto lloré. . .
Y allá en la ventana
para asombro mío,
dos gotas preciosas
que creí rocío,
lucían temblorosas.
Algo era distinto. . .
Había cierto encanto. . .
Supe por instinto
¡que ése era tu llanto!

Ellos no me entienden,
madrecita mía,
ellos no comprenden,
mamita querida.
¡Y tú estás tan cerca
dándome tu abrigo!
Que me digan terca,
sé que estás conmigo.
Que estás a mi lado
en todo momento,
y me has regalado,
como ayer, tu aliento.
Que estás en el aire
y en la lluvia estás;
y en mi alma, madre,
¡por siempre estarás!

De nuevo a mi madre

por Lolita Lafuente Salvador

Tiempo ha, madre mía, que llorosos
te dejamos en la tumba sombría.
Tiempo ha que lloramos, día a día,
tu calor siempre tierno y cariñoso.

El valor que supiste enseñarnos
con tu propio valor y fortaleza
es el que domina nuestra tristeza
es el que más nos mueve a resignarnos.

Tú fuiste nuestra gran educadora:
forjaste nuestra alma y nuestra vida.
Cruzaste por la vida incomprendida
derramando tu ayuda bienhechora.

Y hoy yaces para siempre bajo tierra
en esa tumba solitaria y chica
mas tu alma se eleva y dignifica
con los laureles que la gloria encierra.

Extrañando a mi madre

por Lolita Lafuente Salvador

Un año más pasó. . . y todavía
siento que ha sido hoy que te perdí.
¡Cómo sufro tu ausencia, madre mía!
¡Cuánto diera por verte junto a mí!

Hoy yo también soy madre, y es por eso,
que quizá te comprendo mucho más.
Cada vez que a mis hijos doy un beso
creo que me besas tú, mamá.

PALABRAS DE SUS NIETAS

Ella era inolvidable

por Virginia de Miranda Lafuente
en carta a Alma Flor Ada

Yo recuerdo a abuelita como una maestra que enseñaba 24 horas. Te enseñaba a respetar la naturaleza, la belleza, la poesía, el ayudar al prójimo. Como la idea de las clases para mujeres en la noche y regalar la tierra para fabricar la crèche.

Siempre he tenido en casa plumas de pavo real porque me recuerdan de ella y de la belleza de su alma.

Con mucho cariño

Virginita

Yo recuerdo a abuelita como una
maestra que enseñaba 24 horas
Te enseñaba a respetar la naturaleza
la belleza, la poesia, al ayudar
al projimo Como la idea de clases
para mujeres en la noche y regalar
la tierra para fabricar la crèche

Siempre he tenido en casa
plumas de pavo real porque me
recuerdan de ella. y de la
belleza de su alma

Con mucho cariño

Virginita

Cuatro generaciones

Marcelina Méndez Correoso

Dolores Salvador Méndez de Lafuente

Virginia Lafuente Salvador

Virginita de Miranda Lafuente

Mi abuelita, mi Paraíso

por Alma Flor Ada Lafuente

A Camilita: Te quiero tanto
como ella me quería a mí.

Me despierta una fragancia familiar. El perfume hondo de jazmines y gardenias impregna el aire de la mañana, pero es el olor a talco en la piel de abuelita lo que me avisa que ha llegado un nuevo día.

Ya estoy en sus brazos. Vestida toda de blanco, su vestido de algodón almidonado se siente fresco en la mañana ya tibia. Abuelita sale ligeramente de la casa al amplio portal.

No estoy todavía del todo despierta y abro los ojos y vuelvo a cerrarlos. Sus pasos son cada vez más ligeros. Ya estamos debajo de los framboyanes. Al abrir los ojos veo el cielo cubierto de las sorprendentes flores. Ahora los dejo abiertos, deleitados con la explosión de rojo y naranja de las flores de framboyán.

Los pasos de abuelita son ahora más largos, llenos de propósito; casi hemos llegado a nuestro destino. Cuando ya estamos en el campo donde pastan las vacas, oigo su voz por primera vez esta mañana, saludando a los campesinos que van a ordeñar las vacas. Es una voz a la vez profunda y cariñosa. Articula cada palabra con claridad y precisión, tan precisa como su letra en la pizarra. Siempre procurando que se la comprenda, siempre facilitando el que los demás puedan seguir su pensamiento.

Ya sea como maestra de niños y adultos; como madre de toda una familia; ya sea mientras me enseña a leer, dibujando juguetonamente con un palito, en la tierra, abuelita es siempre clara, directa, paciente. La perdí sin haber cumplido todavía seis años, sin embargo, he aprendido más de ella que de nadie en el mundo.

Los campesinos responden alegremente a su saludo. Su presencia siempre tiene un efecto positivo en las personas, aun quienes no la conocen. ¿Es a causa de sus grandes ojos de mirada directa? Quizá es su postura que parece decir: *Aquí estoy y soy una buena persona. Te veo y confío en que también tú eres una buena persona.* ¿O es por la sonrisa que parece quedarse en sus labios, como una semillita que fuera a retoñar en risa?

No me pregunto las razones: estoy acostumbrada a esta respuesta, no sólo porque es también la mía, sino porque la veo siempre en los demás. La veo en mis padres, en mis tías y tíos, en la gente que trabaja en la Quinta Simoni, en los que tocan a la puerta, y en los que pasan por la acera mientras ella y yo nos sentamos en el amplio portal a esperar la puesta del sol.

Uno de los campesinos se acerca, trae una vaca y su ternero. Mientras la vaca acaricia al ternero con su hocico, el campesino la ordeña, allí mismo, en el potrero, agachado en la hierba. La leche empieza a caer en el cubo y mi abuela le entrega la jarra de aluminio brillante que ha traído. No tarda ni un momento en estar llena de leche tibia.

Abuelita deja que yo beba primero. Sabe que me encanta la espuma ligera que me deja barba y bigote blancos en la cara. Respiro profundamente el aire cargado de los olores de la mañana, hierba, vacas y leche fresca. Y estoy lista para empezar el día al tiempo que Abuelita me deja ponerme de pie.

Tengo que caminar rápido para ir a su paso de regreso a la casa. Ella acorta un poco los pasos pero continúa ligera. Sé que tiene que tomar un ómnibus, la guagua que pasa por la calle General Gómez frente a nuestra casa. Es directora de una escuela que estará pronto llena de maestros y alumnos y ella quiere asegurarse de ser la primera en llegar, para recibirlos con sus palabras amables y la sonrisa que hace que todos se sientan a gusto.

Su nombre es Dolores Salvador Méndez, pero casi todo el mundo la llama Lola, o con cariño, Lolita. Por haber nacido en un momento difícil cuando Cuba todavía no había obtenido la independencia, Abuelita no tuvo la oportunidad de ir a una buena escuela de niña. Cuando ya era una jovencita, su padre, las envió a ella y a sus hermanas menores internas a la escuela de una gran educadora, María Luisa Dolz, en La Habana.

Lola sintió gran vergüenza y humillación porque no tenía los mismos conocimientos de otras alumnas de su edad, especialmente porque nunca había estudiado inglés y francés, como las otras alumnas. Pero con el apoyo de María Luisa Dolz hizo esfuerzos extraordinarios y cuando se graduó era la primera de su promoción. Determinó enseñar y hacerlo siempre con dulzura y amor, haciendo que el conocimiento fuera interesante y con significado para los alumnos, alejándose de los métodos tradicionales que prevalecían en esa época.

Entramos a nuestra casa, la Quinta Simoni, por la verja que da a la avenida de los framboyanes. Ella enjuaga el jarro de la leche y luego se sirve un vaso de agua. El agua se filtra por una piedra porosa y cae en un recipiente de cerámica que la mantiene fresca. Abuelita saborea cada gota. Cuando el vaso queda vacío me dice:
— ¡Qué milagro es el agua! ¡Qué gran regalo!

Y sus palabras me dejan un sentimiento de admiración durante el resto del día. Y todo lo que veo me parece tan maravilloso como el agua.

Me ha enseñado a ver milagros en todas partes, en las hojitas redondas y brillantes del seto de mirto, en la dulzura de un mango o en el sabor agridulce de un tamarindo. Caminamos por los patios recogiendo frutas de los árboles, recibiendo cada fruta como un regalo. Le gusta recordarme que cada fruta comenzó como una semilla, una semilla que quería crecer y como, con la ayuda de la tierra, el agua y el sol, la semillita se volvió el árbol, que ahora, generosamente, nos da el regalo de sus frutas.

Desde esta consciencia, vivo reconociendo maravillas a mi alrededor. Aunque pasarán horas hasta que regrese de la escuela, la siento a mi lado, mientras observo el afanoso trajinar de las hormigas que llevan hojas mucho mayores que ellas, a su hormiguero. La siento a mi lado debajo de los naranjos, mientras me deleito con el perfume de azahar. Me acompaña mientras busco huevos de lagartija, para reunirlos en los rincones cubiertos de musgo debajo de los helechos, que me parece un lugar perfecto para que las lagartijitas salgan de los huevos a conocer el mundo.

Cuando regresa de la escuela, cansada y calurosa, va derecho a la ducha. Solo después de ducharse, vestida con una bata fresca, se sienta a almorzar. Todos los demás que viven en la Quinta —mis padres, mis tías, mi tío— ya han almorzado. Así que la tengo nuevamente solo para mí.

Siempre tiene algo interesante que contarme. A veces los acontecimientos del día le recuerdan experiencias de algún miembro de la familia. Otras veces, le recuerdan una fábula, un cuento tradicional o un mito griego. Y así, presente y pasado, realidad y fantasía se entretejen, mientras me introduce a un mundo que se extiende mucho más allá de las fronteras de nuestra ciudad.

Su pasión por el conocimiento era interminable. Quizá porque los libros y la enseñanza formal empezaron a formar parte de su vida en la adolescencia, parecería que nunca podría satisfacer todas sus ansias de saber. Además de cultivar su propio idioma, el español, aprendió inglés y francés. Y disfrutaba leyendo literatura, y en especial poesía, en los tres idiomas. Le interesaban todos los tópicos pero en especial la atraían la historia de Cuba y la mitología clásica griega y logró que ambas me resultaran reales y familiares. Cuando le pregunté a qué sabrían el "néctar y la ambrosía" con que se alimentaban los dioses del Olimpo, me contestó con toda naturalidad que sabían a níspero. Desde entonces yo esperaba encontrarme con alguna diosa que viniera a recoger la fruta deliciosa que crecía en el enorme árbol de níspero del patio de los pavos reales.

Después de almuerzo Abuelita se disponía a disfrutar de su siesta. Se ponía al hombro su hamaca y me tomaba de la mano. Volvíamos a salir por la avenida de los framboyanes hasta el río. Cruzábamos con cuidado por las rocas que nos permitirían no mojarnos los pies, hasta la isla. El viejo río Tínima había formado con sus meandros una isla. Estaba cubierta de matas de coco, que mi abuelito Medardo había sembrado años atrás, también crecían allí varias matas de guayaba y de marañón. Al centro se alzaba un majestuoso árbol de caimito, como benigno gigante protector. Abuelita decide colgar su hamaca entre los pitos, también llamados bambú o caña brava. Allí bajo las hojas susurrantes de los pitos, que suenan como olas de un océano distante, duerme la siesta.

Me encanta verla dormir. Es como si se fundiera con la naturaleza a su alrededor, con la tierra que siento firme bajo los pies, que me invita a caminar entre los árboles. La tierra siempre generosa con sus regalos, una preciosa concha de caracol terrestre, peonías lisas y brillantes, con sus caritas rojas y negras; magníficas mates, semillas fuertes y rugosas. Voy añadiéndolos a los cantos rodados que ya tengo en el bolsillo de mi delantal, mi colección de tesoros.

Me siento por un momento cerca de la hamaca de abuelita, para observar una vez más las hojas del caimito. Verdes y brillantes, por un lado, carmelitas y rugosas por el envés. Qué curioso que un mismo objeto pueda tener dos lados tan distintos... es un pensamiento que me intriga y preocupa a la vez.

Cuando Abuelita se despierta es hora de bañarme, vestirme de limpio y que mamá me haga las trenzas y las corone con grandes lazos. Así estaré lista para ir a recoger flores de maravilla, esas trompetitas multicolor que se cierran de día y sólo se abren al anochecer.

Abuelita recibe con una sonrisa las flores que le traigo ensartadas en tallos de hierbas y me ayuda a convertirlas en guirnaldas. En el ritual familiar de todas las tardes las pondremos sobre el piano, entre el busto de Martí y una muñeca que alguien le trajo a Abuelita de Guatemala y que representa la joven que murió de amor.

Para Abuelita leer no es sólo una curiosidad intelectual. Sus lecturas inspiraron su vida. Creía en la creatividad, la fuerza y los derechos de la mujer. Montaba a caballo y animó a nuestro abuelo a comprar uno de los primeros automóviles que circularon en Camagüey. Fue una de las primeras mujeres en la ciudad que se cortó el pelo y las faldas. Algunos la criticaban porque les permitía a sus hijas salir sin medias y usar pantalones. Y algunos se indignaron con ella porque tocaba la puerta de las casas de familias adineradas para sugerirles a las sirvientas que abrían la puerta que podían tener un mejor futuro si se animaban a asistir a la escuela nocturna que había logrado fundar. Inicialmente a las mujeres les atemorizaba la idea, porque no creían que podían liberarse de la situación de servidumbre en la que habían vivido sus madres y abuelas, algunas de las cuales habrían sido esclavas. Pero consiguió llenar su aula. Muchas de estas mujeres se convirtieron más adelante en maestras.

Una vez que hemos colocado las guirnaldas en su lugar, nos sentamos a ver la puesta del sol, contando los murciélagos que empiezan a salir volando de sus nidos bajo el cielo raso del portal. Los cuentos que me cuenta Abuelita se suceden como las flores de maravilla, formando una guirnalda infinita.

Un sábado especial, Abuelita está llena de entusiasmo. Ha venido el hombre que recogerá la miel de las colmenas. No hay tiempo que perder y en lugar de ir al potrero a buscar tibia leche fresca nos bebemos un vaso de leche fría del refrigerador. Al frente del patio, junto a la verja que lo separa de la acera, hay un viejo olmo, con el tronco hueco. Las abejas han construido allí una colmena, desde hace mucho tiempo, desde que mi mamá era un niñita, o quizá desde antes, viven allí y allí llenan de miel sus panales. Una vez al año, el hombre que recoge la miel viene a sacar los panales. Le prende fuego a unas hierbas que crean mucho humo con el que espanta a las abejas. Sin preocuparse por los cientos de abejas que vuelan a su alrededor entra los brazos en el tronco hueco y va sacando panales uno a uno. Llena varios baldes de trozos de panal que lleva a la cocina. Abuelita los está esperando. Guarda algunos de los panales y su miel en jarras de vidrio bien selladas, que irá abriendo a lo largo del año. Saca la piel de los demás y pone a un lado la cera. Echa la miel dorada en uno de sus grandes calderos de cobre. Enciende el fuego de carbón en el antiguo fogón cubierto de losetas. Una vez que la miel empieza a hervir, la remueve constantemente con una gran cuchara de madera.

Tiene la piel cubierta de gotas de sudor y frecuentemente se seca la frente con un pañuelo blanco. Encendido por el calor, su rostro tan querido me parece más hermoso que nunca. Mis ojos van de su cara a la miel borboteante que se va transformando poco a poco en melcocha.

Cada cierto tiempo deja caer una gota de la miel en una taza de agua, para ver si ya se ha espesado lo suficiente. Tarda mucho para que la miel se convierta en melcocha, pero yo me podría quedar para siempre en la cocina calurosa, empalagada por el olor de la miel, observando el brazo de Abuelita, remover, remover, remover... y ver como su sonrisa se va extendiendo por su cara hasta que es más brillante que la cazuela de bronce, que el mismo fuego.

Cuando la melcocha está lista empezamos el largo proceso de estirarla. Nos cubrimos las manos con mantequilla, para no quemarnos con la melcocha caliente , y la estiramos, la doblamos, la volvemos a estirar. Después de un rato tenemos las manos rojas y sentimos como si estuvieran ardiendo, pero la melcocha ha empezado a cambiar de color, del profundo dorado oscuro a un dorado ligero y brillante. La rompemos en trozos, que colocamos en papel de cera, sobre la pesada mesa de la cocina. De vez en cuando nos ponemos un pequeño trozo en la boca. La melcocha se nos disuelve lentamente en la boca mientras el amor se va expandiendo en nuestros corazones, como la melcocha, llenándolos, como el olor de la miel ha llenado la cocina.

El último sueño de Abuelita era crear un centro infantil para niños de madres trabajadoras. Estas instituciones no eran comunes en la Cuba de entonces, pero ella había leído sobre su existencia en Francia, donde se les llamaba crèche. Ella carecía de los fondos para llevar a cabo tal proyecto, pero tenía la Quinta Simoni que había heredado de su padre. Donó una franja de terreno a lo largo de la finca, para que se construyera una avenida, y a cambio, las autoridades le prometieron construir la crèche.

El 10 de octubre, día en que los cubanos celebramos el inicio de la primera guerra por la independencia de Cuba, la Guerra de los Diez Años, y la abolición de la esclavitud, Abuelita organizó una enorme celebración frente a nuestra casa.

Las autoridades colocaron la primera piedra en señal de que convertirían el terreno llamado Plaza de la Habana, en un parque, y que allí construirían la crèche. Abuelita pronunció un apasionado discurso, explicó que había donado el terreno para una avenida y que esperaba que esa avenida tomara el nombre de Amalia Simoni, la valiente y sacrificada patriota que había apoyado la lucha por la independencia, y cuya niñez y juventud habían transcurrido en la quinta fabricada por su padre, la Quinta Simoni desde cuyo portal pronunciaba el discurso. Abuelita habló del derecho a las mujeres a trabajar por un salario justo y la obligación del estado de cuidar y educar a los hijos de mujeres trabajadoras, así como del derecho de todos a la educación.

A la mañana siguiente, mi madre y yo, sorprendidas de que Abuelita, siempre tan madrugadora no se hubiera levantado subimos a su habitación. La vimos acostada y en el primer momento, quizá por la ilusión de movimiento que producía el aire al mover el mosquitero, la pensamos dormida. Pero había muerto mientras dormía. Sin su presencia y su apoyo pasaron muchos años antes de que se construyera el círculo infantil con el que ella soñaba y antes de que el terreno baldío dejara de servir para que pastaran vacas, caballos y chivos y fuera convertido en un parque. Pero durante esos años sus alumnos agradecidos la recordaron con admiración, respeto y cariño. Y el agradecimiento de muchos a quienes les cambió la vida.

Yo la llamé siempre Mi Paraíso. Y su memoria sigue siendo mi paraíso secreto, el lugar al que retorno, una y otra vez, en busca de apoyo e inspiración.

=== ***** === ***** ===

Al escribir sobre personas de la familia, lo hago con gran respeto, porque cada uno de nosotros tenemos nuestras propias experiencias y recuerdos y todos merecen respeto.

Mi abuela fue muchas cosas distintas para muchas personas. Fue hija cariñosa y generosa para mi bisabuela Mina que vivía en una casita al lado de la Quinta Simoni. Fue hermana responsable para varias hermanas y hermanos. Fue tía y tía abuela de sobrinos que la recordaban con el mayor de los afectos. Fue madre incomparable según la describen sus hijas. A su muerte era abuela de tres nietos que la adoraban y lo fue de muchos más después de su muerte. Fue la fuente de inspiración y compañera idolatrada del poeta que fue su esposo, que siempre la trató como su amada. Fue modelo para muchas mujeres que la admiraban como oradora, como escritora, como líder. Y quizá, sin embargo, fue como maestra que tuvo la mayor influencia.

Mis recuerdos de ella, son, por supuesto, solo míos. La conocí sólo por un breve tiempo, mis primeros 5 años y nueve meses, como recuerda mi tía Mireya. Otros la conocieron por más tiempo, y como adultos. Posiblemente al describirla otros enfatizarían cualidades distintas a las que yo resalto. Escribir estas palabras, desde mi propia perspectiva, me ha hecho ver una vez más el poder de la palabra, especialmente la palabra escrita. Al honrar nuestra propia realidad, nos recreamos; al preservar nuestros recuerdos, redescubrimos el significado de nuestro presente.

Nada me daría mayor satisfacción que el pensar que al compartir los recuerdos de mi abuela y el significado que ha tenido y sigue teniendo en mi vida, quien lo lea recuerde algo, o a alguien, importante en su vida, le invite a atesorar sus propios experiencias, y quizá a compartir y preservar esos recuerdos por escrito.

Traducción de *My Abuelita, My Paradise* del libro ***In My Grandmother's House. Award Winning Authors Tell Stories About Their Grandmothers.*** Compilado por Bonnie Christensen. Harper Collins, 2003

Alma Flor Ada en la época de este relato.

Virginita de Miranda Lafuente
Alma Flor Ada Lafuente
Alma Lafuente Salvador
Alfonsito Zubizarreta Ada

POR DOLORES SALVADOR DE LAFUENTE

En JORNADAS LIRICAS de MEDARDO LAFUENTE

Ofrenda

Como un brazado de flores que se aprieta mucho sobre el corazón, te presento, Amado, los mismos versos que tú me dedicas. Muchos de ellos fueron dulce arrullo de nuestros amores. Cuando en tus predilectas noches de vigilia brotaban de tu fecunda mente, me los ofrecías muy ufano, y yo te premiaba dándote un beso, un solo beso, ungido de sentimiento en tu frente tan venerada.

En una noche de Octubre te besó también la Pálida, y un grupo de tus discípulos quiso hacerte un homenaje.

Acostumbra la sociedad tributar loores al ser que antes consume en su incesante bregar; loores que en vida acaso fueran como el aceite a la lámpara cuya luz va a extinguirse.

Hubiera habido discursos, flores, poesías, lágrimas... Todo conmovedor; pero, a la postre, pasajero. Un esfuerzo grande que al fin, la mano del Tiempo, fatalmente borraría; mas surge la idea salvadora, constructiva, en busca de lo permanente, de lo tangible.

Realícese el esfuerzo, pero hágase algo nuevo, creador, distinto de lo habitual, y útil en mayor grado; algo como una compensación. Él soñó siempre con imprimir su libro; ofrendemos a su recuerdo sus propias ideas; recojamos en un haz, las flores de su cerebro y formemos el libro para que éste siga rimando en nombre del que prematuramente perdió su forma corpórea.

Y tras múltiples proyectos, rayanos en quimeras, a veces desbocados los corceles de la diosa Imaginación, caldeada la fragua del entusiasmo, dando de mano ideas grandes, se concretó lo hacedero.

Y en pos de ello vimos afanosos a Carlos Arrabal, Geraldina Varela, Conchita Guerrero, Humberto Torres, Roberto Estrada, Ana Gloria Lavera, con tus hijos Medardito y Lolita, organizando la velada cinematográfica para allegar los recursos necesarios.

Se llamó a la puerta de los amigos, y como ley de la vida, unos acudieron solícitos y generosos y contentos, aportando la modesta colaboración que de ellos se solicitaba. Otros, los menos, no fueron propicios; y no faltaron, como es natural, casos de total incomprensión —la incomprensión, problema del mundo— y en cambio, ¡benditos sean!, hubo casos —excepcionales como todo lo exquisito—, muy hermosos de total comprensión.

A nuestro hogar llegaba el pequeño enjambre de luchadores y se hacían los comentarios oportunos de cada caso, mezclándose, como se mezclan en la vida, —pues que escena de la vida era— el dolor y la alegría, el desaliento y la fe.

Así se ha hecho tu libro, Amor.

Vaya él a las manos acogedoras de los que formen en las filas de tus adictos, y tenga en cuenta el crítico que el autor no sometió a pulimento muchas de estas páginas, escritas a veces de improviso por una mano muy solicitada para tareas diversas en pro de la humanidad, y como a los demás se daba de modo tal, no quedó tiempo para mucha tarea propia.

Nosotros, los del grupo fraternal, hemos hecho en lugar tuyo lo que intentaste hacer y no lograste hacer.

Que tus ideas de bondad, simientes del bien, sean como el perfume de azucena que aromó el idilio de nuestras vidas, y lleven paz y calma a los corazones; que tus prédicas y enseñanzas hagan luz; que tus versos sigan la siembra de tu rosaleda de amor; que hagan pensar, que continúen tu magnánima obra de Maestro, de Sembrador.

* * *

Para tu gloria sea este fruto de fraternal cooperación logrado por el grupo juvenil y por aquella a quien tu palabra, surtidor de ternura, acariciadora y gentilmente llamaba: "MI DAMA".

Dolores Salvador de Lafuente

Camagüey, 9 de octubre de 1940.

A Alma Flor Ada Lafuente.

Alma Flor, no cuentas aún tres años de vida y ya abuelita, la de la "cántara lírica" creada para tí, pone en tus manos pequeñitas un ejemplar de las "Jornadas líricas" de "papaito santo", pues como bien me dijiste al irte a dormir en mi brazo esta noche de Navidad, también él tenía "cántara lírica" y ¡qué cántara tan hermosa era la suya!

Tú, Florecita, tan tierna y tan sensible, has de bendecir siempre la memoria del que te mimó como a su última muñeca y recordarás a la vez a quien llamabas "Mi Paraíso."

Navidad de 1,940.

De UN CUADERNO MANUSCRITO

Mi hermana Flor encuentra entre los papeles de mamá, un cuaderno azul, de tapas duras, de tamaño mediano, unas cuantas de las páginas sin rayas están escritas, algunas con tinta, otras a lápiz, con la letra redonda y clara, la letra de maestra de abuelita.

No me dice nada, lo guarda por un tiempo, pero un día me anuncia que me tiene una sorpresa. No quiere decirme de qué se trata y tengo que esperar a una ocasión en que nos veamos —vivimos a ambos extremos de este país que es un continente—. Cuando me lo entrega, la emoción me inunda. Las únicas muestras de la letra de abuelita que tengo son la dedicatoria que me escribió en un ejemplar de *Jornadas líricas* y alguna dedicatoria al dorso de fotografías; pero aquí hay varias páginas, en este cuaderno que empieza por ambos extremos y en el que también escribe algo en páginas interiores, separadas por algunas dejadas en blanco.

Esta separación de las páginas escritas no es casual. Así como en su vida se conjuntaban varios aspectos, esposa, madre, maestra, responsable por la casa, la quinta y la vida de muchos, en las notas de este cuaderno, iniciado en los días siguientes a la muerte de Medardo, la podemos encontrar en el dolor profundo por reciente pérdida del hombre a quien tanto quiso; en el agradecimiento a quienes acompañaron ese dolor y reconocieron la magnitud de la pérdida; inquieta por el futuro de los dos hijos menores, Medardito y Lolita, que ve incierto todavía; imaginando posible soluciones para sus vidas, y, a la vez, con el sentido práctico de mujer abocada a buscar soluciones a todo tipo de situaciones, describiendo posibles usos para el marabú, esa planta invasora que ha cubierto grandes extensiones de la tierra de la Quinta Simoni, como de muchos campos de Cuba, y que ella quiere convertir en algo útil.

Y para conocer mejor, a esta mujer extraordinaria, copio aquí el contenido de ese cuaderno, iniciado por Lola poco después de la muerte de Medardo, que alguna de sus hijas quizá mi madre, Alma, o una de sus hermanas, Virginia o Mireya, guardó amorosamente en silencio por más de medio siglo.

El primer texto, el borrador de un mensaje de agradecimiento por las muestras de reconocimiento de la ciudad de Camagüey, comienza con una invocación a su amado Medardo, que ha muerto cuatro días antes, el 23 de octubre de 1939. La frase "un alto en el camino" que utiliza hace alusión a la sección periodística que escribía Medardo con ese título. Algunas muestras de esa sección pueden leerse en el libro *Páginas rescatas* de Medardo Lafuente.

27 octubre

Mi rey, mi Nenino, aquí en este lado de tu cama donde tanto sufriste, donde tanto dolor ocultaste, quiero evocarte y que me inspires para poder decirle a Camagüey de nuestra gratitud, de nuestro reconocimiento a tantas muestras de amor ofrendadas junto a tu cadáver amado.

———

¡Gracias, Camagüey!

Abrumados ante la cruda realidad, sintiendo en lo más hondo una angustia indecible, palmando una cruel verdad a la que no es dable plegarnos, queremos decirte, Camagüey, siquiera un poquito, de lo mucho que este hogar — hoy sellado por el beso de la Muerte — tiene para ti de gratitud, porque viniste a llorar con nosotros la triste ausencia de nuestro Medardo, del Medardo de Camagüey.

Sembrada de esperanza en nuestra alma, no creíamos en la caída de nuestro Amor, y nos engañamos.

Vos, Camagüey, estuvisteis junto a sus fríos despojos, aportasteis el tributo de vuestro cariño y cubristeis de flores la fosa del pensador.

Gracias, gracias mil.

Gracias a sus compañeros de labor intelectual o espiritual, gracias a tantos estudiantes que le lloran como se debe llorar a lo él fue: un verdadero Maestro.

Gracias a los periodistas que le han dedicado labores y encomios, a sus hermanos en cada hermandad, —pues como la flor del dandelion, sembraba ideas y amor a los cuatro vientos—, a los poderosos y a los humildes, a los que vimos aquí y hasta a cuantos hayan dedicado un pensamiento cordial al que pasó por la vida dejando huella imperecedera por el gran amor a la humanidad que llenaba su corazón.

Gracias por el amor que mostrasteis al que ya hizo su "alto en el camino".

¡Gracias, gracias mil!

Dolores Salvador de Lafuente

Del lado opuesto del cuaderno, el primer texto, son anotaciones sobre el valor que podría tener iniciar una nueva escuela privada.

Cuando el Sr. Rogelio Zayas Bazán fue nombrado Superintendente de Escuelas de Camagüey, no podía seguir al frente de su colegio privado "El Porvenir" y se lo arrendó a Medardo y Lola, que lo dirigieron por un par de años.

Más tarde, ellos crearon su propia escuela privada, el Colegio Lafuente Salvador, que primero funcionó en la Calle Avellaneda, y más tarde en la Quinta Simoni. Allí se iniciaron informalmente como maestras sus dos hijas mayores, Virginia y Mireya.

Ahora, años después, Lola sueña con crear un nuevo colegio en el que puedan enseñar todos los hijos, incluyendo los dos hijos menores.

La lista de temas, bosquejo inicial de un curriculum muestra una vez más a la polifacética Lola, que menciona tanto habilidades manuales cuanto conocimiento universal.

¡A soñar!

Escuela privada, herencia a nuestros hijos y a la sociedad.

Casa bien situada y amplia y además para iniciar al establecimiento de un colegio moderno, que puede llegar a ser un colegio importante, sucursal de uno de los Estados Unidos.

Asegura el porvenir de todos los hijos, pues todos pueden ser maestros en él.

En Camagüey no se destaca ninguna escuela privada.

Inglés, Francés, E. Física, Cestería, Sweaters, Uso del horno, Cakes, Tejidos . Máximas, Grandes Hombres, grandes hechos históricos, principales conocimientos geográficos, pensamientos escogidos y explicados, Letras de adorno, Decoraciones, Libreta de Literatura, Deportes, Fisiología, Ciencias, Recitaciones.

3 diciembre 1939

Escuela privada que puede ser el porvenir de los hijos aun no encauzados: Medardito y Lolita. ¡Todos los hijos maestros! ¡Qué belleza!

Cosas sueltas

Dbre. 1939

¡Gracias, hermano!

Destilaba el alma dolor.

Los ojos destilaban lágrimas.

Una vez más la amargura del "búcaro roto." **[2]**

Esperamos el ómnibus.

Hemos de ir a nuestro trabajo.

La escuela nos espera.

Solitaria está la calle.

Propicio el anochecer para dialogar con las estrella, o con aquel rebañito de ovejas que semejan las blancas nubecillas.

Propicio también para que las lágrimas corran silenciosas, sin testigos.

La hoz de la luna en creciente parece una joya que reluce entre las vaporosas gasas del cielo azul.

Una ola de melancolía nos envuelve, y sintiéndonos solos, damos paso a nuestro sufrir.

Una voz, plena de simpatía, de piedad y de dulzura, nos dice:

"Buenas, noches, Lolita."

Es un hombre que pasa.

¿Quién es? No sabemos.

Tanta ternura hubo en las tres palabras, tan dulce fue su acento, tan pleno de comprensión y de caridad, que nuestro dolor dio paso a un sentimiento de gratitud muy tierno, muy hondo, muy bello.

Y ya con eso, se cumplió su deseo: Buena fue la noche. Buena fue porque en el jardín del sentimiento brotó espontánea esa flor espiritual, flor de tres pétalos, tres palabras moduladas de manera tan exquisita, que sonaron como campanitas de plata en nuestros oídos.

¡Gracias, hermano desconocido, que no sabe cuán bello fue el reguero de ternura que dejaron tus palabras: "Buenas noches, Lolita", envueltas en tu voz cordialmente acariciadora!

¡Gracias, hermano!

Ideas a mi hija Lolita en vísperas de boda

Ceremonia civil en intimidad absoluta.

Una semana en Miami.

Instalarse en los altos de nuestra casona.

Construir baño e inodoro.

Dividir la habitación para alcoba y sala, si se creyese conveniente.

Reservarme el dormitorio de Medardo.

Suprimir un estante allí.

Abrir dos puertas al cuarto alto de la escalera, comunicándolo con el cuarto de Medardo y la otra con el baño e inodoro que se haría en la terraza.

Cerrar la puerta contigua, haciéndole dos ventanas altas, puerta del cuarto de Medardo.

Señalar un cuadro de 100 x 100 m. lindando con la calle, indicada por el tendido eléctrico hacia la fábrica.

Hacer allí una casa con todo lo necesario para vivir bien.

Trabajar ese lote de tierra en sociedad conmigo y bajo mi dirección.

Plantar buenos y diversos árboles frutales, caña, plátanos.

Criar buena raza de puerco, carneros, gallinas, pavos.

Aumentar vacas.

Destronconar marabú.

Cómo utilizar el marabú

Postes vivos. Para lograrlo, no chapearlo en dos varas junto a las cercas. De agosto a noviembre podar todas las ramas bien altas para no dejar semillas, pero dejar la ramazón enredada en lo alto. Rellenar los espacios con gajos de marabú como palizada, para que no haya paso.

Utilizarlo como palizada, bien colocado primero horizontal junto a la cerca, después vertical, con la cabeza de la rama en forma que los buscadores de leña o de portillos no lo cojan.

Dejar crecer los cayos de marabú sin entresacarlo para que den leña, carbón, postes o varas de cerca y cujes para cobijar casas de guano.

Tener pequeños cuartones donde el marabú se use de pasto para vacas, chapeándolo tan pronto la espina no permita al animal usar este pasto.

Tener carneros y chivos como elementos destructores del marabú y a la vez productivos.

Buscar carboneros que a la tercera, hagan carbón, dejando el campo totalmente desmontado, cortado bajo el tronco y quemados los residuos. Estar al tanto de que cumplan el compromiso y exigir que mientras hagan el segundo horno quemen los restos de la primera tumba, porque suelen no hacer la quema.

Hacer cercas con varas de cáscara negra o sea bien viejas, para que tengan corazón y duren mucho. Se les puede dejar espinas y gajos según el sitio a que se destinen. Que la cerca no sea muy alta y que no le sobre parte sobre el alambre para evitar que partan arriba.

No se deben usar postes, janes ni varas de marabú enseguida de cortados, sino seis u ocho días después, para que se reduzcan; pero si se tarda mucho es difícil clavar las grapas.

Las cercas se deben reforzar con madres o postes más fuertes. Se les siembra, al romper la primavera, semillas de algarrobo, pulsiana, gajos de piñones lecheros, amoroso, de Cuba, árboles frutales y maderables.

no hacer la quema.

Hacer cercas con vara
de cáscara negra o
sea bien viejas para
que tengan corazón
y duren mucho: Se
les puede dejar es-
pinas y gajos según
el sitio a que se
destinen. Que la cerca
no sea muy alta y que
no le sobre parte sobre
el alambre para evitar
que partan arriba.

mal- bien

Después de las quemas se recogen los pedazos de leña que no quemaron. Y al arreglar una cerca hay que anticiparse a cargar la leña, porque siempre hay quien va a llevársela.

****

En el cuaderno aparecen además unas listas que pueden verse al final de este libro, en la sección NOTAS [3].

REVISTA DE LA ASOCIACIÓN FEMENINA DE CAMAGÜEY

La Fiesta del Árbol

por la Escuela Nocturna "Carlos Manuel de Céspedes"

Hemos tenido la oportunidad de conocer el informe de la "Fiesta del Árbol" que la Sra. Dolores Salvador de Lafuente ha rendido a las autoridades escolares acerca del simpático acto, y por tener números muy originales y a la vez para alentar a una de nuestras colaboradoras a que siga procurando triunfos para su escuela lo damos a continuación en la seguridad de que nuestros lectores lo acogerán complacidos. Dice así:

Señor:

Tengo el honor de informar a usted que la escuela nocturna Carlos Manuel de

Céspedes", en cumplimiento de las disposiciones en vigor ha celebrado la "Fiesta del Árbol", de la manera siguiente:

En la Quinta "Simoni", antigua residencia de doña Amalia Simoni, esposa del mayor General Ignacio Agramonte existe una planta de mamey colorado que según consta en el libro titulado "Ignacio Agramonte en la vida privada" escrito por Aurelia Castillo de González, basándose en narraciones que exprofeso le hacía la Sra. Simoni, procede de un hermosísimo mamey que durante la guerra Ignacio Agramonte le llevó, de cuyo fruto ella conservó esa simiente en sus largas peregrinaciones hasta que pudo plantarla en su residencia.

Hoy es la Quinta "Simoni" propiedad y residencia de la maestra que suscribe, y al conocer la historia del árbol que se levanta junto a su hogar, se propone dedicarle la atención que merece, ya que el germen de esa planta estuvo en la mano leal y noble del primero entre los camagüeyanos, ya que el hallazgo del hermoso fruto fue para él motivo de alegría, puesto que le daba la oportunidad de llevar un presente a su amada, en una de las deliciosas treguas durante la guerra, ocasión en que volaba a su hogar dulce y querido: "El Idilio:, allí donde otra vez le llevó también como tierno obsequio una paloma, herida en los últimos tiros de una refriega.

Fue allí, bajo ese mamey de ramas desnudas, cubierto de plantas parásitas, donde la escuela "Carlos Manuel de Céspedes" inició su "Fiesta del Árbol".

La bandera de Céspedes, entre un ramo de rosas, en manos de la alumna Dídima Argilagos, abría la marcha; tras ella dos alumnas portaban lindas guirnaldas de flores; seguían las otras alumnas llevando extendida la bandera nacional de grandes dimensiones que ha sido adquirida y confeccionada por las alumnas y la maestra, que se estrenaba en ese acto; tras la bandera completaban la fila las restantes alumnas hasta la cifra de treinta y cuatro. Las que portaban la bandera y las de la fila llevaban también todas grandes ramas verdes cubiertas de flores.

Las alumnas se formaron correctamente en círculo bajo el árbol protegido. Previamente se habían extirpado las plantas espontáneas, en gran radio, y removido la tierra en la proximidad del árbol.

Las alumnas cantaron el Himno Nacional y la niña Virginia Lafuente, hija de la maestra, regó el árbol.

La maestra pronunció una "Oración a la bandera de la escuela Carlos Manuel de Céspedes" que se estrenaba en aquel momento.

La alumna Estrella Recio recitó la poesía de Bonifacio Byrne "A la bandera cubana".

Después [el resto] de la escuela desfiló en redor del árbol dirigiéndose hacia el centro de la plaza de la Habana que está frente a la Quinta citada, en cuyo sitio se plantaría una yaba procedente de la Granja Agrícola, cuyo árbol se dedica a Ignacio Agramonte.

La alumna Dídima Argilagos pronunció la "Plegaria del Árbol" que esculpida en placas de esmalte por acuerdo del Consejo Municipal de Argamil (Portugal) figura en los árboles más visibles de sus parques y carreteras.

La niñita, Alma Lafuente, hija de la maestra, plantó la yaba, árbol cubano que perpetuará el recuerdo de nuestro Bayardo, de nuestro "diamante con alma de beso" como dijera Martí, frente a la mansión donde él sintió gratas emociones junto a la compañera de su vida.

La alumna Inés Santana pronunció la "Plegaria del Árbol", adaptada a Cuba por el Superintendente Provincial de Escuelas de Matanzas, Dr. Leopoldo Ruiz Tamayo, y que las Asociaciones Escolares de Matanzas Protectoras del Árbol, imprimieron en cartulinas para fijar en lugares visibles de dicha provincia el 20 de mayo de 1920.

La alumna Ramona Santana recitó la poesía de Kilmer "Al Árbol", traducción de Mariano Brull.

La alumna Cruz Varona leyó el "Romance Histórico" de Medardo Lafuente que relata la vida de Ignacio Agramonte.

Fue cantado de nuevo el Himno Nacional.

Y en tanto el Sr. Medardo Lafuente exhortaba en lenguaje sencillo a un grupo de niños del barrio que espontáneamente concurrieron, a que fueran ellos los amigos y fieles guardianes del arbolito, la escuela desfiló ante éste, dirigiéndose a la plaza de Charles A. Dana para en acción fraternal acompañar a las otras escuelas públicas que allí celebraban también la "Fiesta del Árbol".

Terminado en ese lugar el lucido acto, nos encaminamos por la calle de Independencia a visitar la estatua de Agramonte para presentar ante el héroe, en su primera salida, la bandera de nuestra escuela, en noble ansia de su bendición cívica, que él parecía otorgar, brazo en alto, sosteniendo la espada, mientras le ofrendábamos todas las flores de nuestras guirnaldas.

Después la escuela desfiló en torno de la estatua y se disolvieron las alumnas.

La escuela nocturna "Carlos Manuel de Céspedes" una vez más y en múltiple forma ha respondido a su lema "Sembrar". La escuela ha tenido la satisfacción de oír durante su desfile frases encomiásticas que bondadosamente ha recogido también la prensa; y como ello contribuye a que se logre para la escuela pública en general la alta e inapreciable estimación del pueblo, deber que concretamente nos fija nuestro Reglamento, parece justo que los centros y autoridades que regulan la marcha de los planteles de enseñanza conozcan en detalle los actos de trascendencia que realizan. Tal concepto nos impulsa al dar a usted, superior autoridad, el presente informe.

Cortés y respetuosamente,

Dolores Salvador de Lafuente

Maestra

Oración a la bandera de la Escuela Carlos Manuel de Céspedes

Bandera de nuestra Escuela:

Eres la hija de nuestra idea y de nuestro Esfuerzo: eres engendro de nuestro Sentimiento.

Fuiste Aspiración querida, hoy eres Realidad tangible.

Bandera de nuestra Escuela, te saludamos reverentes.

Te acatamos respetuosas como símbolo de nuestra nacionalidad.

Bandera de nuestra Escuela, queremos que tus pliegues cobijen nuestras cabezas en los momentos en que ávidas de saber, buscamos la Verdad en la Ciencia y cuando cultivamos el campo de nuestros sentimientos.

Hacemos de ti el testigo de nuestras ansias de progreso y de nuestro anhelo de perfección.

Sé escudo contra el desaliento.

Sé lábaro sagrado que nos guíe por la senda del deber.

Mirando tu estrella no repararemos en los guijarros del camino. El rubí de tu triángulo será manantial de energía, símbolo potente de vigor que repare la vitalidad perdida. El azul sereno de tus franjas hará más firmes nuestros ideales y ahondará la pureza de nuestras intenciones. El color blanco que ostentas, emblema será de paz y de bondad.

Nosotras queremos verte erguida majestuosa en todo acto de civismo que realice el Camagüey.

Te miraremos desfilar con orgullo cuando el ciudadano reclame el ejercicio de un derecho o cuando el ciudadano acuda al cumplimiento de un deber.

Has de participar de los actos solemnes en que vibre y palpite el alma de nuestro amado Camagüey, cuna excelsa de los Agramonte y Agüero.

Queremos verte generosa, cual palio tricolor, cubriendo a hermanos unidos en amorosa fraternidad.

Cuando tú pases, los ciudadanos educados, descubriéndose, te rendirán pleitesía; acatarán con respeto tu majestad solemne.

Por sobre las muchedumbres te erguirás como una diosa, dominante y triunfadora.

Y oye bien, bandera de nuestra Patria, nosotras queremos ver siempre sola tu estrella, linda como Venus al nacer el Alba. No queremos que te fusiones con ninguna otra constelación por refulgente que aparezca. Te queremos como el símbolo de un pueblo absolutamente libre, absolutamente dueño de sus destinos, independiente en forma y en esencia.

Que durante tu existir jamás te horade la silbante bala, porque sea tu época era de tranquilidad y de progreso.

Si queremos que escuches el fragor de la Industria: que veas inclinarse la espalda del cubano hacia el surco fecundo: y que hasta en el más lejano confín de nuestra Patria se levante la escuela como un faro...

Has surgido en época de paz: ¡Que la paz, suprema riqueza del hombre, sea siempre contigo, bandera de nuestra escuela!

Dolores Salvador de Lafuente

[Sobre la creación de esta bandera puede leerse lo escrito por Mireya Lafuente, incluido en la sección LOLA SALVADOR, MAESTRA, de este libro.]

Dolores Salvador, al centro,

rodeada de alumnos y algunos de sus hijos

La archiselecta

Dolores Salvador de Lafuente
Inteligente dama camagüeyana que hoy nos favorece con uno de sus bien escritos artículos

Es la quintaesencia del espiritualismo Antes se llamaba Elena, como cualquiera otra, mas un día se aficionó febrilmente por las cosas de la Grecia y resolvió llamarse Helena, así con H.

Es una criatura delicada, una flor de invernadero; es natural que carezca de aptitudes para toda clase de trabajo.

En cambio, sus alimentos tienen que seleccionarse: vinos deliciosos, manjares, yemas, exquisiteces de todo género paladea displicente.

Siempre reclinada con indolencia, ya junto al alféizar de su ventana, los pies sobre un cojín; ya en el lecho mullido, lee el libro romántico que satura su vacuidad mental de imágenes ilusorias y de castillos fantásticos.

Sobre todo, ella lee cuanto se relacione con la Grecia, ¡la inmortal Grecia!

Cuando se siente griega envuelve su cuerpo en una túnica de púrpura, como la de Alcibíades, en la mano un libro de Homero, de vez en vez contempla un cuadro del Partenón en ruinas, con el mismo éxtasis con que Fidias debió contemplar su Minerva de oro y marfil que sostenía en la mano la Vitoria con ropajes áureos y áureas alas.

Los dioses de la Mitología pasan ante sus entornados ojos en regio desfile: Júpiter, el soberano; Neptuno, en su carro sobre las aguas arrastrado por caballos hechura de su mano; Mercurio, el alado; Ceres, con sus ricos manojos de espigas; Juno, la terrible celosa; Venus, la soberana mecida en su concha sobre las olas, besada por las espumas, retorciéndose la espléndida cabellera...

Una clepsidra le dice a Helena del transcurso de las horas.

Y Helena cuenta su edad por olimpiadas.

Mas Helena está pensativa. Helena desea algo: Sólo un fragmento de rosa del Monte Parnaso, consagrado a las Musas, o del Monte Olimpo, asiento de los dioses, y además también quisiera saborear las mieles del Himeto.

De cuando en cuando una mano solícita ofrece a Helena el néctar restaurador de las fuerzas perdidas, y una vez santa, inimitable, única, le dice amorosa:

—Helena, Helenita mía, tómalo todito, es por tu bien.

Y Helena, la de los veinticinco largos otoños, lo medita un poco, y al fin, con abnegación espartana, estoicamente, se dispone a aceptar el sacrificio, y como Sócrates bebiendo la cicuta, así ella apura hasta las heces aquel vino aromático que semeja la ambrosía de los dioses.

Ella también adora las cosas del lejano oriente.

Así ama la flor del loto, sueña con el murmurio del viento entre los bambúes, le gusta pensar en bosques de alerces y de nogales, cipreses y castaños de agua. En su mente ella ve extensas haras donde crecen campánulas y endrinas, juncos y helechos, acederas y violetas; las grandes bayas de flores azules, los enebros; las lagunas pantanosas de donde emergen innumerables plantas acuáticas y donde detienen su vuelo las elegantes y sagradas garzas de plata y garzas grises y grullas, veneración de los asiáticos, en tanto serpea reptando la salamandra gigante entre las altas hierbas, las azaleas y las rosas.

¡Cuánto gusta Helena de verse envuelta en un *kimono* de rica seda que hubo de traérsele expresamente del mismísimo Japón!

En tales ocasiones el decorado de su *boudoir* es netamente japonés: Un biombo maqueado de oro luce ave de forma y plumaje raros, y extrañas flores de agua; en un búcaro de pura porcelana languidece un ramo de crisantemos amarillos; un pebetero en forma de grulla sagrada sahúma de exquisito perfume el casi santuario donde Helena, entregada al placer del pensamiento, se cree transportada en un palanquín cuyo dulce vaivén la aduerme. En tanto una mano cariñosa agita con suavidad sobre su rostro un abanico de sándalo, también oriental, que por supuesto la hace soñar más aún con las delicias del país del opio. Y entonces Morfeo besa sus párpados.

Dos asiduos visitantes tiene la niña: el joven y apuesto doctor que siempre la encuentra en *pose* artística de extrema languidez, y la experta *manicure* a quien Helena abandona su mano (que no supo nunca del culto al dios Trabajo) para que haga de sus uñas un lindo remedo de las más lindas conchas de mar.

Sus nervios auditivos son muy delicados. No habléis nunca de cosas vulgares en presencia de Helena; y si vuestra voz es atiplada o gangosa ¡guardaos de profanar sus cajas timpánicas!

Ella gusta de la voz de guzlas junto a su ventana; ella adora las notas de un violín perdido entre las frondas. Ella quisiera que guzlas unas veces y violines otras, le arrullaran el sueño; mas no lo ha conseguido.

Es natural que también esté sólo ávida de paisajes encantadores. Se deleita en la contemplación de los cuadros campestres de Wateau con sus idílicas escena amaneradas donde adorables figulinas se pierden entre el follaje de los jardines, embellecidos con ánforas y escalinatas marmóreas, y con la fuente cantarina que se desborda al recibir un abanico de surtidores; y no lejos el castillo de vetustos muros serpeados por verdes tallos sarmentosos.

Y si un ente de la vida real intercepta estas lucubraciones, Helena previsoramente pliega los párpados, y de esta suerte la visión no sufre el mal efecto de la intromisión antiestética.

El baño es otra de las fruiciones de Helena. Mármoles del Pentélico cree ella que se importaron para que la diestra hábil de un escultor tallara el receptáculo, en forma de concha como la cuna de Venus, destinado a que su cuerpo reciba inmersiones placenteras.

Al oprimir un botón, cae una cascada de finísimo surtidores sobre esta ninfa, en tanto que un perfume gratísimo invade el recinto.

La Poesía tiene en Helena una consagrada. Gusta de los versos azules, de los cánticos a los naranjos en flor; y ante la majestad de un crepúsculo, sus labios musitan como en un suspiro, leve, casi imperceptiblemente, al acaso, una estrofa:

"La libélula vaga de una vaga ilusión..."

Helena, la niña de los veinticinco largos otoños, espera, es natural, al príncipe de sus amores.

Ya lo sabéis, donceles.

Mas si el príncipe llegara, no es de extrañar que un día de exaltación griega, Helena le exija hacer una expedición como la de los Argonautas, y él se vea obligado a abandonar el bufete o la clínica, los ganados o las colonias, para ir con ella a luengas tierras, a la misma Cólquide, en pos del vellocino de oro...

Dolores Salvador de Lafuente

Revista de la Asociación Femenina de Camagüey. Abril de 1922. Año II. NUM 16, págs. 2 a la 4.

SECCIÓN CARICATURAS FEMENINAS

Tragedía ignorada

Sra. Dolores Salvador de Lafuente
con cuyos escritos se honra nuestra revista

En las márgenes del Saramaguacán levántase un bohío cuya techumbre, provista por los guanales de la cercanía, sirve de solio a las virtudes de una familia cubana.

Cuatro hijos forman la prole de D. Pedro y Da. Caridad: dos mozos de tez curtida por el sol, leales y bonachones, que muy de madrugada dejan sus hamacas y junto a su padre rinden una enorme tarea, ya atendiendo la vaquería, ya en las labores de la estancia, ora acarreando leña y agua, ora conduciendo al pueblo los productos de la finca.

Sus hermanas, Gloria y Rosa, viven dedicadas a los numerosos quehaceres del hogar. En el perpetuo aislamiento en que moran, ellas ansían la llegada del San Juan y de las fiestas de la Caridad para ir al pueblo y entregarse a los inocentes placeres de esos días, únicas expansiones que les autoriza el carácter austero de D. Pedro.

La madre es toda "un alma de Dios"; su cuerpo desfigurado por extremada gordura, es de tardos movimientos, por lo que las amantes hijas le impiden toda tarea fuerte; mas ella, mujer hacendosa, no sabe permanecer inactiva, y emplea las horas quietas de la vida campesina haciendo labor de aguja, tejiendo sombreros de yarey para "el viejo y los muchachos", raspando jícaras y güiros que las más de las veces regala a sus amigas del pueblo, o tostando y moliendo el café que tan frecuentemente satura con su aroma exquisito el ambiente del bohío.

D. Pedro es un hombre singular. De familia acomodada, no quiso seguir la carrera eclesiástica a que querían obligarle para aprovechar el legado de un tío ricachón. Huraño e indomable, abandonó el seminario, y la familia, en castigo, le dedicó a las tareas campestres. Su espíritu rebelde se identificaba con las arideces del campo. Se complacía en vencer obstáculos haciendo alardes de fuerza y destreza: Domando un potro hoy; yendo después en busca de la vaca "resentina", temida por todos, escondida entre los maniguales y trayéndola en triunfo hacia la casa con la nueva cría; enlazando en el corral con inimitable gallardía el más temible toro; cazando junto al río el puerco cimarrón o el venado montaraz; derribando a golpe de hacha la corpulenta ceiba con el solo objeto de desafiar las desgracias que la superstición campesina atribuye al que tal árbol echa abajo; descubriendo en lo intrincado del peñascoso bosque la colmena de la tierra que traía ufano como galante ofrenda para las mujeres de la casa, previa la condición de que los varones, si querían saborear miel, fuesen como iba él, a disputársela a las abejas en los paredones de la sierra; echando pulsos sin permitir jamás una derrota; y hasta de vez en cuando componiendo muy sonoras décimas con que dar serenata a la reina de sus amores. Habituado a dominar siempre, a ser todo un hombre de pelo en pecho, su mujer y sus hijas le acatan sumisamente; pero como su alma recta se inclina al bien, y dentro de sus asperezas, se basan siempre sus prédicas en la moral más pura, se hace acreedor al mayor respeto por parte de cuantos le tratan. Gran contador de cuentos, en las noches solitarias del bohío, mientras juega a la malilla o echa un tute con su mujer o con algún huésped de los que tan frecuentemente pernoctan en la vivienda del campesino, narra episodios más o menos verídicos, poniendo de su cosecha algún terno para condimentar mejor aquel plato, producto de su facundia tropical. Él dice que sus canas le autorizan tal desahogo. Ahora bien: ¡que ante su familia no ose nadie acogerse a privilegio tan señalado! que sin ambages le sería señalado al atrevido el camino de "la talanquera", llevándose acaso algún verdugón en la mejilla.

Gloria, de inteligencia muy despierta, simpática en grado máximo, se lleva el afecto de cuantos la ven sólo una vez. Inquieta y vivaracha, deja oír los trinos de su voz, llena de armonías, mientras sus manos hábiles planchan con esmero la filipina que el domingo llevará su padre al juego de gallos. Con notable facilidad improvisa versos, timbre de orgullo de la familia, y toca en el acordeón los aires en boga y los danzones que en las alegres temporadas del San Juan aprende de oído. Si monta a caballo, es amazona gentil; en los baños del río sumerge su cuerpo moreno, todo pleno de gracia, y reaparece bulliciosa allá a lo lejos dejando escapar su franca risa de timbre argentino; a la hora del baile, luce su garbo y su gracia lo mismo en el cadencioso danzón que en el típico zapateo. Por la superioridad de su inteligencia es Gloria estrella de primera magnitud en aquella casa. Cuando D. Pedro, haciendo memoria de sus estudios de seminarista, da lecciones a sus hijos, exigiéndoles de golpe y porrazo un esfuerzo superior al desarrollo mental en que se hallan, sólo tienen fruto en la mente privilegiada de Gloria, y mientras sus hermanos permanecen analfabetos, ella lee y escribe con bastante corrección. D. Pedro no echa en saco roto estas observaciones, y es Gloria para él la hija favorita, su "secretaria", como la llama con orgullo. En los problemas del hogar, la opinión de Gloría es decisiva. A su capricho, no exento de buen gusto, se confeccionan los trajes de sus fiestas pueblerinas; ella, quien elige telas y modelos; ella, quien hace semanalmente la lista de víveres y de menesteres que es preciso traer del pueblo; ella, quien en casos de enfermedad, aplica sinapismos y tisanas; ella, quien dispone la comida que ha de guisarse; ella, quien ofrece al visitante la taza de aromático café; ella, quien obsequia a los vecinos con la porción mejor de la res sacrificada o con las más hermosas viandas cosechadas en la estancia; ella, quien cuida las macetas de claveles, sin olvidar el sábado recoger los más lozanos para depositarlos en el altarcito presidido por la Virgen de la Caridad; ella, quien solícita, hace mudar la ropa, empapada de sudor, al padre y los hermanos; también ella, quien logra mayor ascendiente sobre el carácter severo y brusco de D. Pedro; y cuando sus hermanos necesitan del permiso paterno para tal o cual cosa, siempre es Gloria la que con visos de diplomática, lleva la embajada, y sabe buscar y preparar la ocasión propicia con tacto y sagacidad notables. Es ella también quien con mimos y dulzura logra calmar el malhumor de D. Pedro y conseguir que otorgue el perdón por cualquier castigo impuesto a los mozos.

Un ambiente de paz y de mansedumbre se respira en este hogar. Todos se aman entrañablemente, y los años pasan con una dulce monotonía para aquellas almas sencillas y buenas.

La vida metódica y ordenada de la familia obtiene su legítima compensación. Aumentan los bienes, y con ello, la comodidad y el desahogo; y para ampliar los negocios, sin más documento que la palabra honrada de entrambos, viene como nuevo miembro de la familia, otro ser, leal y bueno, que responde al nombre de Armando.

D. Pedro que cuenta con haber adquirido un sojuzgado más a quien dar órdenes terminantes, acoge de muy mal grado la actuación independiente de Armando, cuyo espíritu libre le impele a trabajar con iniciativa propia, y máxime habiendo aportado para el fomento de los negocios, no sólo una apreciable cantidad, sino también el invaluable caudal de su actividad prodigiosa y de su gran experiencia en asuntos agrícolas.

Ave sin nido a quien la vida desde edad temprana obligó a volar libre en el vasto universo, no reconoce ligaduras ni trabas para sus rectas acciones, y en los prejuicios de D. Pedro no ve más que "caprichos de viejo" a los que no pone atención. Cariñoso en grado sumo, sediento del amor maternal que la muerte le arrebató en edad muy tierna, nunca supo de los mimos y ternezas a que tan inclinado es el espíritu del niño; y al ser acogido en aquel hogar con hospitalidad tan generosa; al verse objeto de halagos y atenciones que nunca conociera; al notar con cuanto interés las muchachas se ocupan en lavar y coser su ropa, y en tanto detalle de la vida íntima de aquella casa donde todo es orden, sencillez y dulcedumbre, pudo aquilatar cuán grande fue su orfandad de otros días y cuánta ternura le había vedado hasta entonces el destino. Con el impulso de su contento, duplica sus energías: él solo quiere atenderlo todo, multiplicándose a tal extremo que a veces cuando D. Pedro ordena que se haga tal o cual cosa, Armando se complace en demostrar que se ha anticipado a la disposición. D. Pedro, en su indómita soberbia, en vez de comprender el verdadero móvil de aquella actividad prodigiosa tan conveniente a sus intereses, en ese no darse cuenta, propio de los viejos, que les impide comprender cuándo ha llegado el momento de ceder el puesto en los negocios al sustituto, para vivir la última época de la existencia disfrutando del producto del trabajo, hecho en la época del vigor, sólo ve el destronamiento de su poder absoluto, y en su eterno afán de mando, no puede aceptar que uno “que no peina canas como él”, le dé ejemplos de celo, y queda entablada la discordia. Cualquiera futileza es pretexto para los denuestos de D. Pedro. Armando soporta los reproches de que se le hace víctima, viendo compensados con creces sus disgustos con las atenciones que la buena de Da. Caridad y sus hijas le hacen objeto.

Los mozos tienen en Armando un amigo franco que en los sesteos de las tumbas de monte y de las labores de la estancia les cuenta sus andanzas por la vida, causando estupefacción con sus relatos en sus almas cándidas no iniciadas en ninguna clase de aventuras.

Cierto día regresa del pueblo uno de los jóvenes visiblemente disgustado, y todos inquieren solícitos el motivo; pero al no lograr que el mozalbete rompa su mutismo, D. Pedro le apostrofa acremente y le llama ignorante y bruto. El joven, cuyo labio sombreado por el naciente bigote, y su voz enronquecida denotan que ya no es un niño, se yergue soberbio, y con el rostro rojo de ira, contesta: ¡Sí, por eso, por ser bruto e ignorante he sentido hoy gran vergüenza de vivir! ¿Queréis saberlo? Pues sea: ¡En la tienda del pueblo se han burlado de mí y delante de unas mujeres, por el delito de no saber leer ni escribir! Y yo de eso no soy culpable: Si mi padre no nos tuviera rompiéndonos el alma entre los maniguales y no fuéramos una familia de infelices montunos, yo no sería ignorante ni bruto. ¡Bien sabe Dios cuántas veces he pensado que el monte... para los animales!

D. Pedro, atónito ante la actitud desconocida de su hijo, se deja llevar de la cólera y se abalanza para castigar lo que él estima insolencia del mozo; pero Armando, testigo de la escena, impide el castigo agarrando fuertemente la diestra del anciano, aquella diestra que nunca supo más que vencer.

Viendo D. Pedro limitada su autoridad, y precisamente con la intervención y por la fuerza del hombre joven a quien ya él considera como un intruso en sus dominios, descarga sobre éste todos sus insultos, ante la familia, muda de terror. Armando, galantemente, cede a los gestos suplicantes de Da. Caridad y sus hijas que imploran su silencio, y refrenando con voluntad el instinto de repulsa que siente todo hombre ante lo injusto, sabe triunfar de sí mismo y puede oír impasible hasta el epíteto de ¡cobarde! que le lanza D. Pedro en pleno rostro quemándole con su aliento. ¡Cobarde él, que ese mismo día, para traer a Gloria un ramo de los claveles rojos que tanto ama, levantándolo por sobre las aguas, cruzó nadando, a impulsos de un solo brazo, el Saramaguacán desbordado!

Pasó el incidente, pero D. Pedro, tenaz en su rencor, no le dirige más la palabra ni el cotidiano saludo. Es la hora de la ruptura. Armando tiene que abandonar aquella casa, único albergue que en la vida le ha brindado dulzuras de hogar; mas al decidirse a partir, se dibuja en su mente la imagen simpática de Gloria, y el dolor agudísimo que le produce la idea de separarse de ella, es para él grata confidencia que vierte en sus oídos el ángel de los castos amores: ¡la ama!

Desde los primeros días era fácil observar el afecto creciente de Armando hacia Gloria; pero ese hecho no parecía extraño porque nadie está exento de tributar cariño a un ser dotado de tanto “ángel”. Quizá fuese D. Pedro el único que presienta y recele que Armando pueda hacerse dueño de su joya más preciada, y acaso el afán de los padres de oponerse por egoísmo a los amores de las hijas, sea el origen de su manifiesta antipatía hacia el joven.

Al darse cuenta Armando del sentimiento que hacia Gloria ha florecido en su corazón resuelve confesárselo. Él no duda un momento de ser bien acogido; se casarán, vivirán los dos solos en una casita donde ellos serán los amos únicos; le dará sus ahorros y ella comprará todo lo necesario, como ambos son modestos, pocas cosas les bastarán. ¡Cuánta felicidad!

Y Armando procura la entrevista con Gloria. Le habla tiernamente, manifestándole cómo no podrá vivir otra vez errante y sin hogar después de haber conocido la vida sana y tranquila de aquella casa, añadiendo:

—No, Gloria, la vida del huérfano por quien nadie se interesa no he de vivirla más. Bastante tiempo mi alma anheló el bien que junto a ustedes alcancé y que estoy tan próximo a perder. Sin un ideal ¿para qué trabajar? Hoy acudo a ti. Sólo tú puedes decidir de mi suerte. Yo sé cuánto vales. Te quiero como no quise nunca, y sabré hacerte la mujer más feliz de la tierra; pero tenemos que casarnos inmediatamente; eres mayor de edad y puedes resolverlo.

—No pretenderé engañarte, Armando; también yo te quiero. Desde que vives en casa el mundo me parece mejor. Ya en las fiestas del pueblo no me divierto si faltas tú. Sé todo lo noble que eres; pero le temo al carácter de mi padre y me horroriza la idea de que se oponga a nuestro matrimonio, sobre todo ahora, así, tan de momento...

—Él no me quiere, Gloria, tú lo sabes; él no permitirá nunca nuestras bodas. No esperes su consentimiento, no lo dará nunca. Pongo a tus pies mi vida, y elige: Tu padre o yo.

En aquel momento la silueta severa de D. Pedro se dibuja entre los árboles, y al verlo, Gloria tiembla como una tojosita prisionera. Sus ojos se llenan de lágrimas, estallando en su pecho el dolor más acerbo en aquel instante en que el sentimiento del más puro amor hacía eclosión en su alma virgen. No pudo gozar plenamente del placer nunca sentido: La presencia del padre, amo hasta de los sentimientos más íntimos, amarga aquellos instantes de supremos deleite a que tan acreedora la hace la santidad de la virtud. Los jóvenes se separan. D. Pedro no los ve o no quiere verlos.

A poco rato Armando afronta, respetuoso y decidido, una entrevista con D. Pedro. Con aplomo y serenidad le expone su resolución de irse de la finca por razones que no es preciso explicar, y convienen del modo más honrado y justo, pero en pocas y contundentes palabras lo pertinente a los negocios. Fija Armando para la mañana siguiente el momento de partir y se propone hablar de nuevo a Gloria. Al obscurecer, ambos se buscan, y en un apartado sitio del batey, en voz baja y trémula dialogan:

— ¿Qué has pensado, Gloria, tu padre o yo?

— ¡Calla, por Dios, espera, espera...!

— ¡Imposible! Ahora he de saber yo si la vida vale la pena de vivirla. Al amanecer dejaré esta Casa que es para mí el mundo, porque en ella quedas tú. No podemos perder un minuto. Elige: tu padre o yo.

En el bohío, la luz mortecina de un farol ilumina de lleno el semblante envejecido del anciano, dando mayor relieve a su aspecto de patriarca con su cabeza y su larga barba encanecidas. Un golpe de tos agita el pecho de D. Pedro, y su figura, antes hercúlea y vigorosa, aparece encorvada como si el peso de los años y del trabajo lograra al fin derrotarlo. Gloria, habituada al sacrificio, a la abnegación más sublime, al mayor respeto y obediencia más ciega, doblegó su cerviz ante el ara del martirio, y balbuceó:

—Contra la voluntad de mi padre... ¡jamás!

Todavía Armando añade:

— ¿Es tu última palabra?

Y Gloria, con esfuerzo sobrehumano, exclama:

— ¡Sí, Armando, sí!

Al amanecer, Armando sale al batey, camina taciturno, y al llegar junto a los claveles que Gloria ama tanto, los besa con unción, y de súbito, se marcha al galope de su caballo y seguido de su perro, los dos más fieles amigos de su vida de soledad; mientras Gloria que le acecha por las junturas de las yaguas que forran su pobre cuarto de campesina, le ve alejarse y perderse para siempre en un recodo del camino. De sus ojos negrísimos, brillantes por la fiebre del primer amor que abrasa su alma, cae un raudal del de lágrimas, y su pecho se deshace en sollozos.

. . . .

Antes de un mes llega al bohío solitario, donde de ya no moran seres felices, donde flota un hálito de malestar y de tristeza, la desgarradora nueva: Alguien, atento a los quejumbrosos aullidos de un perro, ha descubierto el cadáver de Armando, velado lúgubremente por sus dos amigos: su fiel can y su noble caballo, no lejos de la finca, en la espesura del monte, junto a las márgenes del Saramaguacán, muy próximo a la costa. La soledad enorme del mar, tan inmensa como la soledad de aquella alma grande, fue mudo testigo de la tragedia; y en la corteza blanda del viejo almácigo que le tendió una rama para consumar la obsesionante idea, él grabó este poema angustioso:

"¡Gloria mía, serás mi gloria en el Cielo!"

Dolores Salvador de Lafuente

Revista de la Asociación Femenina de Camagüey. Año V. Número 59, noviembre, 1925. Págs.4 -7.

REVISTA AVELLANEDA

Sra. Dolores Salvador de Lafuente, autora de "Kaleidoscopio"; premiado en el Certamen del Centenario de la Avellaneda

Un caso

I

Cuando Gumersindo, a raíz de ganar las elecciones el Partido a que, según sus propias manifestaciones se honra en pertenecer, abandonó el sitio de labranza que hasta entonces le había proporcionado la subsistencia para venir a la ciudad en busca de un destino, muchos de sus amigos censuraron tal modo de proceder, sin que lograran convencerlo.

Porque, es lo que él decía:

— ¿De qué me sirve haber *trabajado el Barrio*, *gastao* muchísimo dinero, *peliarme* con Diego el de la cantina, con el carretero de *"La Colorá"* y hasta con mi mismo *cuñao*, si ahora, a *la hora de los mameyes*, no *arrecojo* el fruto de mi cosecha?

—Pero... Gumersindo, —solía objetarle Mariquita, su cara mitad, —si tú no sirves para ningún destino, si toda tu *ersistencia* la has *pasao en el monte...*

—No me diga eso... —clamaba fuera de sí el sitiero —no me diga eso, que *pa* coger *toos* servimos cuando llega el caso.

Ante este razonamiento, Mariquita, a quien halagaba la idea de vivir en el pueblo, cesó en su resistencia y, vendidas las gallinas y las mejoras del sitio, acá vinieron todos, con el natural regocijo de Bonifacio, el único heredero del matrimonio.

II

Gumersindo tuvo su plaza de Inspector, o Auxiliar clase H o J, que ni nosotros ni él estamos seguros de la letra, con cargo al Departamento de Lotería.

— ¿Qué haces ahora? —le preguntaba, a veces, algún ex convecino cuando lo encontraba en la primera tanda de cualquier Cine o matando el tiempo en la Estación de Ferrocarril.

—Vivo de la Renta —contestaba siempre impasible el feliz cooperador en la obra administrativa del país.

Y Gumersindo tenía razón.

Pero el sueldo no daba para todo, y las impurezas de la realidad se encargaron de hacer palpable el *déficit* del presupuesto doméstico, por lo que ambos cónyuges resolvieron normalizar su género de vida, nivelando los gastos e ingresos, convencidos como estaban de la imposibilidad de contratar empréstito alguno, con tanto más motivo cuanto que no estábamos en época electoral.

—Empecemos por ti—dijo el marido— creo que podríamos quitar ese *inguento* que te estás untando *pa* las arrugas, como si las vejigas se estiraran con *pomaitas*...

— ¡Valiente cosa! ¡una *medecina* que me está tan bien para el *custis*!... y... ¿qué ahorramos con eso?... Un peso seis *riales* que cuesta el pomo que dura tres meses...

—Algo es algo, y, además, se puede quitar *el betún del pelo*...

— ¡No sea bobo hombre!... mejor será que suprimas tú el tabaco apestoso ese que *trais* siempre en la boca... ¿qué necesidad hay de andar echando humo todo el día?

— ¿El tabaco? ¡ni pensarlo! el médico me ha dicho que lo use porque es *hingienico* y *desinfertante.*

Al fin, y después de mucho discutir, concertaron una *entente*, por la que se reducía el precio de la cantina, se eliminaba del presupuesto doméstico la partida consagrada al pago de la escuela de Bonifacio, que ya sabía leer, se cambiaba el sistema de alumbrado eléctrico por el de petróleo y se hacían otras modificaciones que arrojaban un total de diez pesos, bastante para conjurar la crisis económica que amenazaba el Tesoro conyugal.

III

Ayer visité a Gumersindo como tengo por costumbre los días festivos.

No hice más que sentarme, y mi amigo, que acababa de llegar de la Valla, me dijo, con acento sombrío:

— ¿Sabes que me mataron a la gallina?

— ¿Cómo fue eso? —repliqué por decir algo.

—Pues verás —dijo después de mirar alrededor y convencerse de que Mariquita andaba *por allá adentro* y que no podía oírle—, se presentó un gallo giro de Morón, y *casamos la pelea* con un *logro* de dos a cuatro. La gallina empezó *de carrerita*, pero luego *se viró* y *picó en la cresta.* El giro, entonces logró dármele *una puñalá de buche*; pero la gallina era de oro, y le *fue arriba* como una fiera... y el gallo no hacía más que aletear, *tirando tiros de aire* y ya teníamos la pelea de *onza a marañón*, cuando, de repente, me la dieron *puñalá de ojo y ojo y too se lo llevó la trampa.*

— ¿Cuánto perdiste?

— ¡Ocho pesos de mi alma! pero cállate, que Mariquita no sabe nada y no quiero que se entere porque... ¡ya tú sabes lo que son las mujeres...!

—Pero... ¿por qué arriesgaste a perder tanto?

—No me digas, que eso era *pan comío*, la gallina no tenía derecho a perder, ¿no le ganó al gallo de Altagracia, que llevaba treinta y dos *peleas seguías* sin perder ninguna?... ¿no le ganó al canelo de

Maraguán *pa* quien no había contrario en *toa la isla de Camagüey*?... ¡pues entonces!

—Sin embargo, perdió.

—Pero... ¿por qué perdió? ¡si ella llega a trabar al gallo por derecho, ¡que va pierde, hombre! ¡que va pierde!

—Supongo que no jugarás más.

— ¿Qué no?... el domingo vuelvo *por la picá*... figúrate que están casaos el *indio* de Juan Borrego y el *jabao* de Federico, el mayoral de "La Siguaraya" ¡voy al indio hasta los zapatos!

—Pues corres el riesgo de quedarte descalzo, porque el que juega...

—Sí, ya sé... siempre pierde; pero eso lo inventó algún *salao* que no ganaba nunca.

No quise discutir más con Gumersindo, que se fue al patio a *dar una vuelta* a tres gallos que tiene *en cuido.*

IV

Momentos después, Doña Mariquita conversaba conmigo, enumerándome las

peripecias de la vida ciudadana a la que, según dijo, no podía acostumbrarse.
[...]

Camagüey 23 de marzo de 1914.
Avellaneda. Revista Literaria Científica y Deportiva.
Director Literario Dr. Ángel Agüero.
Jefe de Redacción Miguel Sainz Silveira.
Administrador Antonio Mendoza.
S. Acogido a la franquicia postal como correspondencia de segunda clase en la administración de correos de Camagüey.

EL CAMAGÜEYANO

Lámpara Votiva

Al morir la notable educadora cubana

María Luisa Dolz

por Dolores Salvador de Lafuente

Maestra, ya la madre tierra te recibió amorosa en su seno.

Ya tu cuerpo inerte no hospeda aquella alma grande que tantas veces vi asomada a tus ojos; alma grande que tanto bien esparció por el mundo.

Maestra, ya tu voz enmudeció para siempre; ya jamás podrán oírse aquellos consejos tan plenos de sabiduría y de rectitud que tanto nos dijeron del deber y del bien.

Maestra, ya nadie podrá ver tu figura alta, venerable, aureolada de una majestad que impresionaba, que infundía hondo respeto.

Nadie más podrá ser testigo de aquella exaltación de aquel entusiasmo que embargaba tu espíritu y que se comunicaba al nuestro cuando hacías la luz en nuestra inteligencia, cuando nos descubrías los secretos bellísimos de la Naturaleza, cuando nos mostrabas las verdades de la Ciencia, cuando en aquellas lecciones de Moral con que los sábados ponías fin al intenso laborar de la semana, nos alejabas de las impurezas de la tierra, elevándonos contigo a un plano de perfección, forjando nuestra alma para la lucha con la vida.

¡Con qué dulzura evocamos aquella época estudiantil, tan dulce, tan feliz!

¡Cómo en la mente desfila la procesión de los amados recuerdos! La lectura de las notas mensuales en el amplio salón: el tribunal de profesores en la plataforma, allí el Dr. Aguayo, el propulsor infatigable de la Pedagogía, allí el bueno del Dr. Rosell, que nos trataba tan paternalmente, allí el Dr. Lincoln de Zayas, el del bien decir, el elegante, el exquisito y entre ellos tú, sol entre soles. Dos de ellos te precedieron internándose en la senda inevitable que no tiene caminantes de regreso.

Las alumnas vestidas de blanco llenando el salón, con la mayor disciplina, escuchaban las notas de cada compañera en cada materia. Grande nuestra emoción al oír el fallo que nos hacía acreedoras a figurar en la vanguardia del colegio y a anotarse nuestro nombre en el Cuadro de Honor; grande nuestra emoción cuando tu mano respetable suspendía a nuestro cuello aquella medalla de mérito pendiente de una cinta azul y blanca.

¡Cómo nos place ahora recordar que fuimos miembros permanentes de esa vanguardia por lo que, al final del curso, se nos cruzó el pecho con una linda franja tricolor!

¡Oh, mi banda tricolor, que conservo con cariño, la que fue el centro de las miradas de una concurrencia distinguida la memorable noche de la fiesta de mi graduación! Banda tricolor que fue el orgullo de mi padre aquella noche. Noche esplendente que refulge en mi pasado y que fue la última de mi vida escolar.

Te fuiste, maestra, en el mes de mayo, aquel que en nuestro colegio era el mes en que se perdonaban las faltas, el de las ofrendas morales, cuando tú nos enseñaste a ofrecer entre flores a la Virgen nuestra tarjetita consignando la virtud que necesitábamos cultivar, el defecto que debíamos corregir. Los cantos llenos de candor que entonábamos, la música envolviéndonos en sus ondas de armonía, el perfume de nuestros ramos, los trajes blancos de tantas compañeras y tu aspecto sereno y majestuoso rebosando placidez al ver tu obra.

¿Con qué pagarte, Maestra, tu frase de un día: *"Aquí va la joyita del colegio"*?

Ya te fuiste, pero tu obra queda.

Tu misión de educadora se cumplió. Pródiga tu mano repartió a puñados las simientes del bien en el campo de muchas conciencias.

Tú nos enseñaste la vía recta, tú nos diste ejemplos de laboriosidad, de perseverancia y de abnegación. Y no ha sido en vano tanta labor, tanta prédica. Muchas de tus normas, muchos de tus pensamientos han pasado de nosotras, tus discípulas, a otras conciencias. Tu labor se multiplica, Maestra.

No te hemos olvidado, no podremos olvidarte. Tu nombre refulge en el campo hermoso de nuestros recuerdos.

¡Cuántas veces en nuestra aula, al repetir ahora aquellos tópicos que nos explicaste un día, cuántas veces se eleva en nuestra alma una plegaria para ti!

Tu actividad pasmosa, tu ecuanimidad, tu amor a la justicia son normas que seguimos con devoción. Permanecemos en la vanguardia, Maestra.

Tu optimismo, tu valor ante los grandes empeños, aquel justo deslinde del bien y del mal; aquella sonrisa y aquel elogio tan oportuno que tanto alentaban en la ardua tarea del estudio y de la preparación para la vida.

Aquella plática tan llena de enseñanzas y de soluciones en el difícil momento del error y de la falta. ¡Aquel don de ser Maestra con que a Dios le plugo dotarte!

De ahí el constante anhelo de ascensión, de progreso, de perfeccionamiento que se nos infiltraba al oírte, al ver tu vida, al contemplar tu noble ejemplo.

Maestra, no se ha perdido tu obra. No con tus vuelos de águila, que fueron excepcionales, sino con la modestia con que hay que conformarse cuando no se puede más; pero eso sí llegando al máximo en el esfuerzo, seguimos tu ejemplo.

Imitamos al buen patrón cuando es dable a nuestras fuerzas. Orientamos vidas, aconsejamos, señalamos el buen sendero, buscamos el triunfo de nuestros alumnos por la vía honrada del esfuerzo propio, les ayudamos y procuramos hacer placentera su vida escolar, prefiriendo ver el perpetuo arco iris de la sonrisa florecer en su semblante ante que marcarlo con rictus doloroso provocando su protesta y la rebelión en su espíritu.

Nuestra escuela es escuela de alegría y naturalidad. Nuestros alumnos son nuestros amigos. No sembramos el dolor y, por tanto, cosechamos amor. Respetamos el derecho a la felicidad que tiene la infancia.

Queremos que la escuela donde hoy oficiamos sea, en su esencia, siquiera un pálido reflejo de azul templo donde tú ejerciste tan gallardamente el gran sacerdocio.

Yo no pude hallarme junto a tu lecho en la hora suprema, yo no pude unir mis lágrimas a las lágrimas de amados dolientes, yo no pude llevar un ramo de flores junto a tu cuerpo presente; pero yo puedo hacerte una postrera promesa.

Maestra, mi alma que con la avidez de las raicillas de una planta mustia absorbía tus sabias enseñanzas; Maestra, mi espíritu que te veneraba y para el cual siempre fuiste un ser de excepcional devoción, te prometo conservar la rica herencia de tu ejemplo y laborar por otras almas con el esmero con que tú pusiste en la obra cuando modelabas mi alma. Maestra, yo te prometo ser digna de llamarme tu discípula.

Y del bien que haga, y del que ya haya hecho, una gran parte es tuya, porque cultivaste mi cerebro y mi corazón, porque me enseñaste cosas nobles y grandes.

Y ahora, Maestra, perdóname si por mí sufriste; y bendíceme si fui buena contigo.

El Camagüeyano, domingo 17 de junio de 1928

LOLA SALVADOR, MAESTRA

los tres próximos textos de esta sección han sido tomada del libro *Recuerdos* de Mireya Lafuente Salvador

Maestra de la Escuela Nocturna

por Mireya Lafuente en su libro *Recuerdos*

En la ciudad de Camagüey Lola gestionó la creación de una escuela nocturna para muchachas. Sus gestiones tuvieron éxito y la nombraron a ella Maestra de dicha escuela. El único requisito para ingresar era saber leer y escribir y la mayoría de las alumnas estaban a nivel de tercer grado. Pero esta maestra tenía el arte de hacer progresar rápidamente a las más atrasadas consiguiendo que pronto el grupo fuera bastante homogéneo.

Yo tuve el privilegio y la suerte de haber sido una de sus alumnas en esta escuela. Entonces yo tenía 13 y 14 años, pero la escuela funcionaba desde mucho antes.

La labor que mamá desplegó allí fue única. Era una escuela donde además del aprendizaje académico se aprendía tanto de la vida, de la ciudadanía, de la espiritualidad. Despertaba como nadie el sentido común, sembraba tanta cultura, moldeaba las almas, dirigía con acierto individualmente a cada una de sus alumnas, no creo que haya existido otra maestra igual.

Una de las cosas dignas de mencionarse es que allí acudían algunos jóvenes y adultos y a manera de oyentes se paraban en la puerta y en las dos ventanas grandes que daban a la calle para oír sus clases. En algunas ocasiones, cuando mamá terminaba una clase que en concordancia con la fecha tratara de las madres, de Martí, de la Patria, aquellos hombres rompían a aplaudir.

Muchas de las muchachas trabajaban por el día. Las había costureras, lavanderas, niñeras, cocineras, sirvientas y en general eran de hogares humildes. Más o menos un 15% eran de herencia africana. Cuando mamá se daba cuenta que una alumna poseía bastante méritos para aspirar a una vida mejor que la que llevaba, le aconsejaba que debía luchar por superarse, que contaba con lo principal, señalándole sus méritos y la guiaba en la forma que pudiera. Ella preparó un grupo de estas alumnas para que ingresaran en la Escuela Normal de Maestros y esto lo relato más adelante.

Voy a tratar de contar cómo eran las clases de esta supermaestra y cómo aprovechaba y combinaba las cosas para ampliar la enseñanza.

Las clases de ESCRITURA no eran solamente planas en que se llenara el papel de letras bien trazadas, como era el sistema de todos los maestros. En esta asignatura aprendíamos mucha cultura. Por ejemplo explicaba cómo debíamos hacer la letra *A* mayúscula y entonces escribía en el pizarrón el nombre de un personaje que comenzara con esa letra, pero usándolo en una frase o en una oración que enseñara sobre aquel personaje, o sobre un lugar. No bastándole eso, antes de que comenzáramos a escribir nos contaba ampliamente aunque en forma concisa acerca del citado personaje. Así podíamos hablar de quién era *Arquímedes*, o *Aníbal*, o *Aquiles*. Esta clase era la primera en el horario y si alguna alumna, por motivo de su trabajo tuvo que llegar tarde, había que ver con qué interés le preguntaba a alguna compañera en que había estribado la explicación del personaje usado en la clase de Escritura. Teníamos una libreta para esta asignatura donde nos esmerábamos haciendo la mejor letra, y cuando terminaba el curso teníamos allí un compendio de conocimientos muy interesantes. Todas las alumnas conservaban esta libreta.

Las clases de MORAL Y CÍVICA no eran de una simple explicación teórica, nos hacía pensar en cada aspecto, trataba de que practicáramos la mejor expresión. Daba lecturas preciosas, generalmente muy tiernas, ya de prosas, cuentos o poesías que vinieran con el tema, a manera de ejemplos, y como si todo esto fuera poco, en aquellos asuntos que lo permitieran, llevaba su enseñanza a la práctica. Por ejemplo, en la lección que trataba de La Bondad y La Caridad, preguntaba quién podía definirlas. Oía nuestras pobres definiciones, entonces ella las ampliaba. Leía algún artículo bonito acerca de ese tema y nos decía que todos estamos en el deber de ayudarnos unos a los otros, de no desperdiciar una oportunidad en que pudiéramos ayudar, y estableció lo que llamó *"Las acciones buenas"*.

Ella nos dijo que cada una tenía que realizar por lo menos una buena acción durante la semana. Y los viernes, durante el saludo a la bandera, todos nos poníamos en hilera y esta hilera avanzaba, cada una se detenía delante de la bandera y decía en alta voz la acción buena que hubiera hecho. Se oían desde cosas muy simples, como por ejemplo, recogió de la acera unas cáscaras de platanito para que nadie pudiera resbalar sobre ellas, hasta cosas importantes que representaban verdadero sacrificio. Recuerdo que una alumna contó que había empezado a ayudar a un niño limosnero, que lo conquistó para que en lo adelante fuera un muchacho limpio, le regaló ropa de un hermano, lo bañaron, lo pelaron, y el chico parecía otra persona. En días sucesivos las compañeras le preguntaban por el muchacho, y ya iba a la escuela, almorzaba con ellos y le habían cogido cariño como de la familia. A veces se daba el caso de que algunas de las alumnas confesaran que no habían hecho nada aquella semana, pero esto era muy poco corriente. Lo cierto es que todas las alumnas andaban a la cacería de alguna oportunidad para ser útiles a los demás y decirlo delante de la bandera.

Aquellas muchachas, a través del tiempo contaban que para toda la vida habían adquirido el hábito de no ser indiferentes frente a las necesidades ajenas, impedían que le pegaran a un niño, o que maltrataran animales. Ése era el resultado de las clases de Moral y Cívica de Lolita Salvador.

Además sembraba el amor a Cuba, a sus héroes, a la bandera. Teníamos que cantar himnos, canciones escolares, recitar poesías. La escuela nocturna se llamaba *"Carlos Manuel de Céspedes"* y todas las alumnas tenían que saber muy bien la biografía de este patriota, aunque no por eso se menguaba el estudio de la vida de Martí, de Agramonte, de Maceo y otros.

Cuando mamá pedía a las alumnas alguna actividad de expresión oral primero decía cuáles eran los errores que debían evitar. Y ella, haciendo la mímica correspondiente, ridiculizaba distintos defectos en que podía incurrir, como era hablar con una mano en la boca, hablar demasiado bajo que los demás no pudieran oír, hablar enredado, pronunciar mal, hablar demasiado rápido, introducir palabras o sonido innecesarios como *"estooo..."*, *"ahhh..."*, mirar hacia abajo mientras se hablaba, balancearse, mascar chicle, estar encorvado o recostado a algo. La gente tenía que espabilarse y evitar manías. Pedía que mostraran personalidad y desenvolvimiento.

Así, a la vez que aprendíamos HISTORIA, recibíamos clases prácticas de una buena expresión.

En las clases de DIBUJO LINEAL, después de enseñarnos los primeros pasos nos ponía problemas. Por ejemplo nos enseñaba las proporciones oficiales de la bandera cubana, entonces, dando la medida de una línea teníamos que dibujar la bandera correctamente. Lo mismo con el escudo cubano. También nos enseñó a dibujar variados tipos de grecas.

Las clases de LENGUAJE eran preciosas. Teníamos que redactar cartas. Daba lectura a prosas bellas. Y todos los días enseñaba tres palabras nuevas, palabras de poco uso en el lenguaje hogareño y así lograba ampliar el vocabulario de las alumnas.

Enseñaba la GEOGRAFÍA en una forma muy gráfica. cada alumna se hacía de una colección de mapas, recortando cartones y así dibujaba un mapa rápidamente, la silueta del territorio a estudiar. En una página se marcaban en aquel mapa los sistemas montañosos, en otra página, con el mismo mapa se marcaban los ríos, etc.

Cuando estudiábamos un país teníamos además que dibujar su bandera, su mapa, el lugar en que estaba dentro del continente y seguidamente los puntos más importantes de esa nación.

Solamente las que fuimos alumnas de ella podemos saber la inmensidad de conocimientos que impartía Lola Salvador en un solo curso escolar en su escuela nocturna y cómo matizaba sus enseñanzas con sabor humano. Hacía buenas ciudadanas, moldeaba las almas, injertaba deseos de superación, lograba el desarrollo de la personalidad y del sentido común.

Sus alumnas nunca la olvidaron. Le profesaban buen cariño y admiración y después de muchos años de haber dejado la escuela, ya de adultas se les oía decir con orgullo que había sido alumnas de la mejor maestra, porque como Lolita Salvador no había habido otra jamás.

¡Cuánto bien sembró, que Dios la bendiga!

Mireya nos dice que uno de los poemas favoritos de su madre era el poema *Dar* de Amado Nervo. Y quienes hemos tenido la fortuna de beneficiarnos de la generosidad de Lola y de Mireya podemos decir que ambas encarnaban de modo absoluto el mensaje del poema.

Dar

Amado Nervo
[adaptación simplificada]

Todo el que te busca va a pedirte algo.
El rico aburrido,
la amenidad de tu conversación;
el pobre, tu dinero;
el triste, un consuelo;
el débil, un estímulo;
el que lucha, una ayuda moral.
Todo el que te busca, va a pedirte algo.
Y tú osas impacientarte.
Y tú osas pensar: ¡Qué fastidio!

¡Infeliz! La ley escondida que reparte
misericordiosamente las excelencias,
se ha dignado otorgarte el privilegio de los privilegios,
el bien de los bienes,
la prerrogativa de las prerrogativas.
¡Dar! ¡Tú puedes dar!

En cuantas horas tiene el día, tú das,

aunque sea una sonrisa,
aunque sea un apretón de manos,
aunque sea una palabra de aliento.

Deberías decir: ¡Gracias, porque puedo dar!
¡Nunca más pasará por mi semblante la sombra de una impaciencia!
¡Vale más dar que recibir!

La bandera de la escuela nocturna Carlos Manuel de Céspedes

por Mireya Lafuente en su libro *Recuerdos*

[Esta es la bandera a la que Lola dedica la oración publicada en la Revista de la Asociación Femenina]

Un ejemplo del entusiasmo que mamá sentía y sabía infiltrar en los demás cuando algo le interesaba, fue cómo logró ella que su escuela tuviera una linda bandera.

Dio clases preciosas sobre la bandera cubana: su historia, su heráldica. Habló mucho de lo que significa para cada nación su bandera, qué usos tiene. Dio lectura a anécdotas interesantes acerca de banderas. Después de sus clases había que amar de verdad la bandera cubana.

Nos enseñaba himnos, canciones escolares y poesías sobre nuestra bandera.

Algunas alumnas memorizaban las poesías y las decían los viernes, durante el saludo semanal a la bandera.

En las clases de Dibujo Lineal nos enseñó a resolver problemas que nos permitieran dibujar la bandera con las proporciones adecuadas. Por ejemplo, dividir una línea en partes iguales. Se requería dividir en 3 y en 5 partes el ancho de la bandera. Teníamos que trazar un triángulo equilátero y hallarle el centro y poder trazar una estrella de cinco puntos. Cada alumna dibujaba una bandera con las proporciones oficiales.

Sembró la idea de que debíamos luchar por conseguir que nuestra escuela tuviera una buena bandera. Habló de la importancia de la colaboración, de la unión, de cómo con un pequeño esfuerzo de muchos puede conseguirse algo de mucho mérito, algo muy valioso. Y sugirió cómo entre todas las alumnas podíamos llegar a tener la mejor de las banderas de una escuela. Así condujo a las alumnas para que la escuela tuviera aquella bandera anhelada.

Organizó una comisión de alumnas para que fueran a la tienda de telas *"La Violeta"* y les explicó cómo debían desenvolverse y qué puntos debían mencionar. Ellas hablaron con el dueño de la tienda y le explicaron que querían obtener el material necesario para confeccionar la bandera. Llevaban calculada la cantidad de tela de cada uno de los tres colores que necesitaban. Además mostraron una nota escrita por mamá acerca de la noble misión que llevaban. Y consiguieron la mejor calidad de tela a un precio muy rebajado. Y les entregaron las telas para que fueran pagadas después.

De allí se fueron a la Juguetería *"El Rincón"* y en la misma forma consiguieron una muñeca preciosa, grande, con articulaciones en los distintos segmentos de las extremidades, abría y cerraba los ojos. Aquella lindísima muñeca estaba predestinada a ser muy dichosa y afortunada. Naturalmente que estos comerciantes tenían la garantía que la maestra de aquellas muchachas era Lola Salvador.

Ya con la muñeca en el aula, mamá les sugirió a las alumnas que debían acrecentar el valor de la muñeca dotándola de un bonito ajuar, haciéndole distintas piezas de vestir. En una semana aquella muñeca contaba con vestidos muy variados y ropa interior, suéters, sombreros, ropa de dormir, medias, y en fin muchas más cosas que las que se pensó tener.

El paso siguiente fue organizar la rifa de la muñeca. Había que lograr el dinero para pagar el material con que se haría la bandera más el costo de la muñeca.

Aquellas muchachas parecían niñas, probándole a la muñeca aquellas prendas de vestir. Cada una se sentía madrecita y dueña de la muñeca.

En pocos días ya se habían vendido todas las papeletas y desde luego que no hubo alumna que no comprara su propia papeleta. Saldaron la deuda y pasaron a la confección de la bandera.

La muñeca se la sacó una de las alumnas de apellido Torné y le puso de nombre Lolita.

Las alumnas que sabían coser se brindaron a hacer la bandera. Se reunieron en la Quinta Simoni bajo la dirección de la maestra y durante algunos fines de semana hicieron la bandera cubana más linda que había en Camagüey.

Quedó establecido en la escuela el saludo a aquella bandera todos los viernes. La colocaban frente a una pared del aula y todas las alumnas desfilaban frente a ella.

Delante de aquella bandera se dijeron muchas cosas hermosas. Cantábamos himnos. Se recitaron numerosas poesías. Se dijeron pensamientos de nuestro apóstol José Martí. Cada una de las alumnas decía qué acción buena había hecho aquella semana. Esa bandera fue testigo y oyente de preciosos consejos, de anécdotas de alto sabor espiritual, de clases llenas de luz, de vida, de entusiasmo, de fe y de sabiduría.

En los desfiles escolares que anualmente se organizaban el 28 de enero, por ser el natalicio de José Martí, la bandera de referencia llamaba mucho la atención y ganaba muchos aplausos. La escuela la llevaba en forma horizontal, extendida, y varias alumnas la sostenían por los bordes de los cuatro costados.

Aquella bandera fue uno de los grandes orgullos que tenía aquella escuela de alumnas de origen humilde, pero que, bajo la dirección de mamá se cultivaron y eran seres que vibraban, que luchaban por superarse, por ser útiles y que disfrutaban reconociendo ser buenas ciudadanas.

Algunas alumnas pasaron a ser maestras

Hacía relativamente poco tiempo que habían creado la Escuela Normal para Maestros. De estas escuelas había seis, una en cada una de las seis provincias de Cuba.

Mamá investigó los requisitos para poder ingresar como alumna, cuáles eran las asignaturas de los exámenes de ingreso y la fecha.

Ella pensaba en sus alumnas y se puso a observarlas, pensando cuáles de ellas merecían superarse y que a la vez pudieran triunfar en el magisterio. Hizo una lista, tuvo en cuenta la inteligencia, el deseo de aprender, el grado escolar alcanzado, el carácter y la presencia y comentó que Dios se las había encaminado a ella para que recibieran su orientación. En fin, se hizo varios razonamientos que la decidieron a la empresa.

En la lista que hizo las había de todo color de piel. Las llamó y les habló como ella sabía hacerlo, repartiendo su entusiasmo y el perfume de su alma.

A todas les gustó la idea, pero muy pocas contestaron que estaban seguras que los padres apoyarían la idea. Algunas creían que si no seguían con el trabajo que tenían por el día, no podrían subsistir (y lo que ganaban era una cantidad muy miserable). Otras decían que dudaban poderse mantener cuatro años dedicadas a los estudios. Era para ellas una oferta tan grande. En sus familias nadie había alcanzado un título. Les parecía algo tan iluso poder llegar a ser maestras.

Mamá les dijo que cada caso lo trataría por separado, pero que les pedía que tuvieran fe. Que con deseo de triunfo cada una planteara el asunto a sus familiares y que al día siguiente le informaran a ella los resultados.

Algunos padres fueron a visitar a mamá para que les explicara cuáles era los planes y las posibilidades; otros iban directamente a informar que no podían acceder a que la hija dedicara su tiempo al estudio, y otros, no fueron a la entrevista. Los primeros, después de oír a mamá salieron convencidos de que debían hacer los sacrificios necesarios para que la hija estudiara. En cuanto a los que no concurrieron, mamá fue a visitarlos a donde vivían y siempre obtuvo el objetivo deseado.

Faltaban dos meses para los exámenes de ingreso. mamá estaba en estado avanzado de gestación. Ya tenía más de ocho meses. Vendría al mundo en pocas semanas su última hija.

Mamá organizó darles clases en casa, en la Quinta Simoni. Tuvo que orientar a algunas en cómo conseguir el Certificado de Nacimiento, ya que algunas de ellas no habían sido inscritas cuando nacieron. A tiempo mamá tenía la documentación de todas y las mandó a que solicitaran participar en los exámenes de ingreso, entregando sus papeles y fotos. Fue una gran labor que desplegó mamá.

Llenaba las clases de detalles, porque no sólo iba el conocimiento, sino cómo redactar mejor. Chequeaba las tareas y les elogiaba lo bueno y les señalaba las faltas o les decía cómo podían mejorar el trabajo. Les explicaba cómo podían decir las mismas cosas con mejor vocabulario. Y las animaba a cuidar los detalles, a escribir con letra muy legible y presentar un margen paralelo.

Suspendió muy pocos días sus clases por el nacimiento de Lolita y las continuó con el mismo entusiasmo. Mamá desplegó mucha energía en aquel curso; pero su esfuerzo fue premiado.

Se presentaron muchísimas más aspirantes que el número de plazas que estaba limitado y todas las alumnas de mamá ingresaron.

Esas muchachas fueron buenas estudiantes en la Escuela Normal y llegaron a ser muy buenas maestras.

Mís padres educadores

En la Quinta, papá y mamá daban clases particulares. Muchos de los alumnos de papá eran soldados que asistían a clases por la noche.

[Antes de fundar el Colegio Lafuente-Salvador, Medardo y Lola arrendaron y dirigieron el Colegio El Porvenir. Y luego, Lola creó la Escuela Nocturna que Virginia va a describir en las páginas siguientes. AFA]

Por idea de mi madre, y por sus personales gestiones y relaciones, ella consiguió que se creara el crédito necesario para sostener un aula nocturna donde se enseñaba a muchachas pobres, que tenían que trabajar por el día.

Esa aula se convirtió en una escuela, con el nombre de Escuela Nocturna Carlos Manuel de Céspedes. Nunca hubo discriminación de razas ni de ciudadanía [*se refiere a que algunas alumnas no eran cubanas, sino jamaiquinas o haitianas*].

Escuela en Camagüey.

Al centro Medardo, con traje oscuro y a su derecha (izquierda del lector) Lola.

Allí se reconocía solamente el esfuerzo desplegado, el aprendizaje logrado, la puntualidad en la asistencia. Las alumnas tenían desde catorce hasta cuarenta y tantos años.

Al principio muchos vecinos dudaron de la eficacia de la tal escuela. Mi madre era la única segura del éxito de su idea. Y así fue. Pasados los años gran número de las alumnas siguieron estudiando, ingresaron en la Escuela Normal de Maestros o en el Instituto de Segunda Enseñanza. Y el destino de muchos hogares cambió completamente.

Mi madre fue una maestra ejemplar, con una luz y una visión interior que sólo Dios sabe por qué se las dio.

En la época a la que me refiero no era costumbre que las muchachas anduvieran solas por las calles una vez que hubiera anochecido. Mi madre tuvo que ir personalmente a visitar a muchos padres que no estaban de acuerdo en permitir que sus hijas anduvieran por las calles después de las seis de la tarde.

De esas visitas yo recuerdo vívidamente una: se trataba de una joven alta, bonita, muy tímida, que vivía en la Plaza Santa Ana. El padre era un español de uno de esos que hoy llaman "machistas" y que cuando daba una orden nadie podía tratar de cambiarla.

La muchacha era muy inteligente y tenía ansias de superación, pero como el padre decía que "no había necesitado estudiar" para tener los cuatro reales que tenía, se negaba a comprender las ansias de superación de la hija.

En esa época yo asistía como alumna a las clases de mamá, cosa que fue muy beneficiosa para mí, pues en el futuro, siendo yo maestra, orienté mis lecciones y mis explicaciones recordando cómo lo había hecho mamá, sus chistes, sus consejos, tratando de copiarla lo más posible.

Los alumnos la adoraban. Ella nunca se atuvo a un sistema de enseñanza determinado. La caligrafía era la oportunidad de repetir oraciones famosas. Los proverbios eran la base para muchas enseñanzas morales que se discutían en el aula. Los autores de las frases famosas daban origen a clases de historia o de geografía. En fin, mi madre tenía una revolución de ideas interesantísimas para que, casi jugando, los alumnos aprendieran el máximo de conocimientos variados.

La escuela se llamaba Carlos Manuel de Céspedes [*Céspedes inició la Guerra de los Diez Años, primera guerra para obtener la independencia de Cuba, con el Grito de Yara, el 10 de octubre de 1868, en el que proclamó la independencia de Cuba y dio libertad a sus esclavos. Fue el primer presidente de la República de Cuba en Armas. Se le conoce como el "Padre de la Patria"- AFA*]. Mamá se puso en contacto con el hijo de aquel gran patriota que en ese momento ocupaba un alto cargo político en Cuba. Le explicó su finalidad en la escuela y sus tropiezas para conseguir triunfar en una causa tan noble como la que ella estimaba era la escuela.

Céspedes fue muy gentil con ella. Le mandó un retrato grandísimo del padre. En vida de ella, ese retrato siempre estuvo en la pared mayor del aula. También le mandó ciertos informes oficiales sobre la manera de construir la bandera cubana y varias coas más.

Al principio de crearse la escuela, muchachones y hombres jóvenes se acercaban a molestar hasta que una noche mi madre abrió todas las puertas y las ventanas de par en par y los invitó a que escucharan las clases.

Todo el mundo fue cogido de sorpresa. Al principio pensaron que mamá iba a llamar a la policía y salieron huyendo, hasta que mamá se dirigió a ellos y les dijo:

—Quiero darles la oportunidad de que aprendan cosas interesantes. Desde hoy en adelante, si ustedes no molestan, les autorizo a que se mantengan en las puertas, las ventanas o el quicio de la escuela.

Esa fue una oferta inesperada. Unos se fueron, pero muchos, tocados por la curiosidad, se quedaron. Y, para alegría de mi madre, cada noche el número de los oyentes era más grande.

Una vez, que se estaba organizando la celebración del 24 de febrero, mamá pensó que las alumnas podrían contribuir aplicando las leyes oficiales sobre la bandera de Carlos Manuel de Céspedes, para construir una bandera que exhibir en la parada.

Hubo mucha excitación. Las banderitas que se usaban en aquel entonces eran bastante ridículas. Y casi nunca seguían la proporción de las medidas oficiales.

Se aplicaron las clases de aritmética para estar seguros de qué cantidad de tela de cada color sería necesaria.

Las alumnas debían ir a visitar tiendas pidiendo precios de las telas en distintos colores y cantidades para decidir el costo del material para banderas de distintos tamaños.

En las clases de dibujo lineal aprendieron el trazado del cuadrado, el rectángulo y la estrella.

Así poquito a poquito fueron aprendiendo conocimientos que no figuraban en ningún programa para alumnas de un nivel inicial, como lo eran la mayoría de esas alumnas.

Cuando la bandera estaba terminada cubría varios metros y el orgullo de aquellas muchachas, de saber que habían podido diseñarla y coserla, y que iban a mostrarla en público era algo emocionante de observar.

El éxito fue tan grande que ellas mismas le pidieron a mamá que, ya que tenían la bandera de Carlos Manuel, por qué no hacer también la bandera nacional.

De inmediato empezaron las discusiones y los preparativos para ponerle manos a lo obra.

Ustedes dirán, ¿de dónde salía el dinero para cada bandera?

Fueron muchas las proposiciones y al fin triunfó lo más corriente en aquella época.

Se rifaron trabajos preciosos que las propias alumnas confeccionaban en sus casas.

En la escuela exhibíamos los manteles y las muñecas vestidas atractivamente, cosa que la gente que pasaba se interesara en preguntar el precio de la papeleta.

Como las cosas eran finas, útiles, atractivas y bonitas tuvimos una gran aceptación.

Recuerdo la primera vez que la bandera nacional y la bandera de Céspedes creadas por las alumnas desfilaron por las calles de Camagüey, en un desfile que abría la banda militar y en el que también desfilaron la banda de la policía y la municipal. Fue todo un acontecimiento histórico. Las alumnas disfrutaron mucho. Esas banderas eran fruto de su esfuerzo. Cantaron con el corazón el Himno del 24 de febrero. Los comentarios periodísticos fueron muy halagadores.

Comprendiendo la inteligencia y magníficas cualidades de algunas de sus alumnas, mi madre decidió entusiasmarlas para que estudiaran una carrera, cosa que jamás le había pasado por la imaginación a aquellas pobres muchachas.

Noche a noche mi madre ponía su gotita de entusiasmo para convencerlas de que, si ellas querían, podían cambiar su futuro.

A esa finalidad arregló los programas a desarrollar en la escuela. Y todas las asignaturas se daban de acuerdo con los

Desfile escolar de los alumnos de la escuela diurna y las alumnas de la escuela nocturna Carlos Manuel de Céspedes. Puede admirarse el tamaño de la bandera.

programas oficiales a los que se presentarían las personas que quisieran ser "maestras habilitadas."

La idea generalizó una alegría llena de esperanza. Hubo un verdadero deseo de competir para ver cuáles eran los grados más altos. Terminados los exámenes parciales hechos en la escuela, mi madre le entregaba a cada alumna sus papeles calificados, con las marcas de los errores cometidos. Luego los revisaba en alta voz, y daba las explicaciones oportunas, y así aclaraba muchas ideas erróneas.

Mi madre era la primera asombrada de la rapidez y profundidad con la que aquel grupo de muchachas avanzaba. Ella siempre quería saber cuál era la situación de las alumnas. Así se enteró que una de ellas, llamada Leopoldina, era lavandera y que clavaba las lecciones en un poste frente al que ajustaba la batea. Y así leía y releía las lecciones mientras lavaba.

Entre las muchachas las había cocineras, costureras y sirvientas. En fin había un muestrario de oficios, pero una sola luz: la de ascender en la vida.

Esa situación se comentó mucho en Camagüey. Yo diría que hasta aquel entonces la clase magisterial había permanecido en las manos de una alta rama social. No se comprendía que de momento pudieran acceder a ella lavanderas, cocineras, costureras, etc.

Pero llegada la época de los exámenes, esas muchachas asombraron a los tribunales calificadores con la excelencia de su trabajo. Los comentarios destructivos tuvieron su punto final. Y más tarde, cuando los alumnos de esas maestras decidieron seguir su ejemplo, las cosas siguieron subiendo, a favor de la cultura, los buenos modales y los valores aprendidos.

Muchas de esas maestras lograron rápidamente certificados de felicitación por el resultado de su labor. Todas ellas mantuvieron lazos espirituales muy profundos hacia mi madre. Puedo citar que hace pocas semanas tuve la alegría de recibir la visita de Eduvigis Torné, después de tantísimos años de no verla. Me recitó de memoria las reglas oficiales para diseñar la bandera nacional y conversamos sobre los buenos tiempos llenos de ansia de superación.

En 1980, en el primer viaje que hice a Cuba desde 1961, caminando por la acera en la ciudad de Camagüey, en compañía de mi tío Mario Ada, nos encontramos con Eduvigis Torné, que había sido alumna de Dolores Salvador. Cuando Mario la saludó y le dijo quién yo era ella se sorprendió muchísimo de verme en Camagüey y con mucho afecto nos invitó a acompañarla a su casa. Allí, en la pared de la sala, ella y su hermana tenían un retrato a plumilla de Medardo Lafuente (que tuvieron el hermoso gesto de regalarme) y un enorme retrato de Dolores Salvador, con un gran ramo de flores frescas. Y me aseguraron que esas flores jamás les habían faltado a los maestros a quienes veneraban por el cambio que habían efectuado en sus vidas. —*Alma Flor Ada*

ANÉCDOTAS DE LA VIDA DE DOLORES SALVADOR

Estas anécdotas tomadas del libro *Recuerdos* de Mireya Lafuente Salvador revelan otros aspectos de la personalidad de Lola

Lola en la Quinta Simoni,

junto a un árbol de framboyán.

Lola Salvador, policía de tránsito

Íbamos en un ómnibus local y ya cerca de la esquina de General Gómez y Cisneros, una esquina de mucho tránsito, el ómnibus se detuvo porque había un tremendo tranque.

Después de unos minutos, mamá le dijo al chofer que volvería a subir; pero que iba a ver si podía solucionar el problema. Yo fui tras ella y vi todo lo que hizo.

Había dos choferes que discutían. Ninguno de los dos quería ser el que cediera el paso. Mamá observó cuál de los vehículos era más fácil de mover. Con voz autoritaria se dirigió a aquellos dos hombres y les dijo: *"No hay que discutir quién tiene más culpa que el otro. Vamos a resolver el problema. Sé que estoy hablando con dos personas que no van a negarse a ser caballeros y por eso no van a tardar en complacerme."*

Y dirigiéndose a uno le dijo: *"Por favor, mueva ahora su carro un metro hacia atrás."* Y fue con el otro y le indicó que avanzara hacia la izquierda hasta la acera y que ella seguidamente le daría paso.

Inmediatamente ambos obedecieron. Y mamá en el medio de la calle continuó señalando qué carro debía pasar. Detuvo a otros y dio salida a los que antes discutían. Arregló aquella situación rápidamente. Y el tránsito continuó normalmente.

El ómnibus arrimó a la acera y esperó a mamá. Ella, con una linda sonrisa, subió al ómnibus, donde la aplaudieron y oía que le decían: *"Únicamente Lola es capaz de hacer eso." "La felicitamos, Ud. es única." "Muchas gracias, Lola."*

El cocodrilo

En el año 1925 papá y mamá le arrendaron al Sr. Rafael Zayas Bazán el Colegio *"El Porvenir* "que estaba en el corazón de la ciudad de Camagüey. Era un colegio grande, tenía muchos alumnos, tanto de enseñanza elemental como secundaria. Hicieron un contrato por dos años y el arrendamiento se pagaba mensualmente.

El Sr. Zayas Bazán tenía buenas influencias políticas y lo habían nombrado Superintendente de Escuelas de la Provincia de Camagüey. Teniendo ese cargo la ley no le permitía dirigir un colegio, por lo que decidió arrendarlo y, sabiendo que el colegio aún se engrandecería entusiasmó a papá y a mamá para que se hicieran cargo del mismo.

En el trato estaba que su esposa, la Sra. Estrella Perdomo, continuara siendo la profesora de Matemáticas de los estudiantes de bachillerato, así como que sus hijos asistieran al colegio como estudiantes becados.

La Sra. Perdomo era buena profesora y además era una persona afable y sincera; distaba de su esposo que era muy astuto y sabía emplear la trastienda.

Rafael Zayas Bazán, en su papel de Superintendente de Escuelas, era el mayor supervisor de todas las escuelas públicas y colegios privados de la provincia, por lo que hasta cierto punto el trabajo de papá y mamá dependían de él, sobre todo mamá que además era Directora de una escuela pública nocturna.

Una mañana, al llegar al colegio, la Sra. Perdomo para impartir su clase venía toda nerviosa, tenía ojeras, parecía que había llorado, lucía mal y le contó a mamá su tragedia. Le dijo que no había podido dormir, que su casa en estos momentos era un infierno, que a un guajiro se le había ocurrido llevarle a su esposo un cocodrilo vivo de regalo, ellos no estaban en casa y la sirvienta aceptó que lo dejaran en la sala. Contó que el animal era grandísimo. El cocodrilote estaba metido en una especie de jaula hecha con listones de madera. Y aunque casi no se podía mover en aquella jaula, lograba mover un poco la cola, dando golpes constantes contra los listones que lo oprimían. Añadió que el animal olía mal, que había venido con muchas moscas, y que, entre el ruido que hacía con la cola, el temor a que lograra libertarse, más el mal olor y las moscas, no había podido dormir en toda la noche, que ella se sentía muy nerviosa y que su marido no tenía la menor idea de cómo deshacerse del cocodrilo.

Sonó la campana en señal de comenzar las clases y la Sra. Perdomo dio por terminado el cuento del cocodrilo y fue a su aula.

Más o menos media hora después, se apareció el Sr. Zayas Bazán, solicitando hablar con mamá quien a disgusto tuvo que abandonar su clase para recibirlo. Dicho señor, fingiendo una gran satisfacción y alegría, le dijo a mamá:

—Lola, le tengo un regalo. Por fin me llegó. Lo estuve gestionando para usted por bastante tiempo. No se trata de nada fácil de conseguir. Es una sorpresa.

Mamá, con gran energía y usando voz fuerte le dijo:

—Señor Superintendente, supongo que no se trate de un cocodrilo. Si es así, no lo traiga. Creo que tiene muy buen dueño. No se deshaga de esa joya.

El rostro de aquel hombre se transfiguró. La sonrisa hipócrita pasó a la cara de un demonio. Cogió su sombrero y se fue.

No tardó mucho en dictar una disposición prohibiendo que los estudiantes matriculados en escuelas diurnas pudieran asistir a escuelas nocturnas, lo hizo para mermar la matrícula de consignación nocturna.

A través de la vida, mamá usó la frase “el regalo del cocodrilo”, en los casos en que alguien da un regalo hipócritamente para quitarse de encima algo que le estorba.

El Primer Congreso Nacional de Mujeres

Comité provincial de Camagüey
Vocales: Señora Dolores Salvador de Lafuente [...]

Camagüey, martes 13 de marzo de 1923
El primer Congreso Nacional de Mujeres de Camagüey
Siguiendo nuestra información sobre este interesante tema que tanto afecta a la mujer cubana, damos hoy a conocer la relación de las camagüeyanas que se han inscrito como Congresistas hasta el momento de obtener esta nota.
Son las siguientes: [...] y Sra. Dolores Salvador de Lafuente

El Camagüeyano, 19 de marzo de 1923.
NUM 78. Año XXI Pág. 1.

CRONOLOGÍA

Camagüey, Cuba 1 de abril, 1887
Camagüey, Cuba 11 de octubre, 1943

DOLORES SALVADOR DE LAFUENTE

[Hasta donde ha sido posible conseguirla. Pido disculpas por posibles errores u omisiones. AFA]

1887 **1 de abril de 1887** nace en Camagüey, Cuba, hija de Don Federico Salvador Arias y de Doña Marcelina [Mina] Méndez Correoso.

19¿? Asiste como alumna interna al Colegio María Luisa Dolz, al igual que algunas de sus hermanas. Se gradúa de maestra, con las más altas calificaciones de su clase.

19¿? Regresa a Camagüey. Empieza a publicar con el seudónimo *Azucena.*

1910 Conoce a Medardo Lafuente Rubio, poeta y periodista que ha leído algunos de sus escritos y viaja a Camagüey a conocerla. Hay cartas de Medardo dirigidas a ella del 1 de agosto al 20 de octubre del 1910 publicadas en **Mi cada vez más querida mía.**

1911 **21 de junio.** Contrae matrimonio con Medardo Lafuente Rubio, hijo de Lorenzo Lafuente Garoña y Virginia Rubio Sierra, oriundo de Santander, España.
Medardo le dedica el poema ***De tu tierra***, dedicado a *Mi Dama.*

1915 **30 de abril** Nace su hija Virginia de los Dolores Lafuente Salvador.

1914 Su narración costumbrista ***Un caso*** sometida bajo el lema *Kaleidoscopio* es premiada en el Concurso Literario celebrado en Camagüey para conmemorar el centenario de Gertrudis Gómez de Avellaneda. La narración es publicada en la Revista Avellaneda el **23 de marzo.**

1915 **30 de abril** Nace su hija Mireya Lafuente Salvador.

1917 Medardo viaja a La Habana para tratar de resolver problemas de la Superintendencia de Escuelas de Camagüey, donde tanto él como Lola trabajan. Hay cartas a Dolores del 7 al 20 de mayo de 1917 publicadas en **Mi cada vez más querida mía**

1918 **21 de mayo** Nace su hija Alma Blanca de los Dolores Lafuente Salvador.

1920 **26 de febrero** Muere su padre Federico Salvador Arias.

11 de noviembre Nace su hijo Medardo Lafuente Salvador en la Calle General Gómez 42, donde además de su vivienda estaba la imprenta del periódico de Medardo.

19? Lola y Medardo se mudan a la Quinta Simoni, que Dolores ha heredado de su padre, con sus cuatro hijos mayores.

1922 **16 de abril** publica *La archiselecta* en la Revista de la Asociación Femenina de Camagüey.

22 de junio publica *La Fiesta del Árbol* y *Oración a la bandera de la Escuela Carlos Manuel de Céspedes* en la Revista de la Asociación Femenina de Camagüey.

1923 Es elegida Vocal del Comité Provincial de Camagüey, del Primer Congreso Nacional de Mujeres. Noticia en *El Camagüeyano,* 19 de marzo de 1923.

1923 **22 de julio** Nace su hija Gloria de los Dolores [Lolita] Lafuente Salvador en la Quinta Simoni.

1925 **noviembre** Publica *Tragedia ignorada* en la Revista de la Asociación Femenina de Camagüey.

19? Dolores y Medardo dirigen el colegio El Porvenir en la Calle Avellaneda 71

19? Crean el colegio Lafuente-Salvador en la Quinta Simoni.

19?? Funda la Escuela Nocturna para Mujeres Carlos Manuel de Céspedes

1928 Muere en La Habana su querida mentora María Luisa Dolz.

17 de junio publica en *El Camagüeyano* la elegía *Lámpara Votiva. Al morir la notable educadora cubana María Luisa Dolz.*

1933 **21 de marzo.** Nace en Nuevitas su primer nieto, Jorge de Miranda Lafuente, hijo de su hija Virginia Lafuente Salvador y Tranquilino de Miranda Aluija, que había sido alumno del Colegio Lafuente Salvador.

1935 **24 de marzo.** Nace en Nuevitas su nieta Virginia de Miranda Lafuente, hija de su hija Virginia Lafuente Salvador.

1938 **3 de enero** Nace en la Quinta Simoni su nieta Alma Flor Ada Lafuente, hija de su hija Alma Lafuente Salvador y de Modesto Ada Rey.

1939 **23 de octubre** Medardo muere, a los 56 años, en la Quinta Simoni, rodeado de su mujer, sus hijos, algunos familiares y discípulos. Una enorme multitud está presente en su entierro, en el Cementerio de Camagüey, donde todavía está su tumba.

Durante el entierro sus alumnos cantan ***Viva el saber***, el Himno del Colegio Lafuente-Salvador compuesto por él.

27 de octubre Lola comienza un cuaderno manuscrito con varios escritos, el primero *¡Gracias, Camagüey!* para agradecer a quienes compartieron el dolor de la muerte de Medardo.

1940 Logra publicar el libro póstumo de Medardo, **Jornadas Líricas,** para el cual escribe la dedicatoria que llama *Ofrenda.*

1943 **18 de septiembre**. Su hijo Medardo se casa con Geraldina Varela Ramírez y pasan a vivir en la Quinta Simoni

10 de octubre - Engalana la Quinta Simoni para un acto patriótico durante el cual pronuncia un elocuente discurso, y cede a la ciudad una franja de terreno de la Quinta Simoni para que se construya la Avenida Amalia Simoni, a la vez que consigue que la ciudad prometa construir un parque en la plaza de La Habana y una crèche para niños de madres trabajadoras.

11 de octubre muere de un ataque al corazón mientras duerme y es enterrada, al día siguiente en el panteón de su padre, Federico Salvador Méndez, en la misma tumba que Medardo.

GENEALOGÍA DE DOLORES SALVADOR

Padre: Don Federico Salvador Arias

en las cataratas del Niágara

Victoria de las Tunas - 18¿?

Camagüey - 26 de febrero de 1920

Madre: Marcelina [Mina] Méndez Correoso

Nuevitas - 18¿? - Camagüey - 195¿?

Sobre los padres de Dolores puede leerse en el libro **Una casa de grandes arcos: Dos familias luminosas,** en el libro **Mi vida de Alma Lafuente** y en el libro **Tesoros de mi isla: Una infancia cubana** de Alma Flor Ada,

Mina y cuatro de los hermanos de Lola.

Ya habían muerto Lola y Gloria, la mayor.

De izquierda a derecha:

- Hortensia Salvador Méndez
- Federico Salvador Méndez y su esposa María

  Luisa Rodríguez Casas

  Segismundo (esposo de Zoila)
- Zoila Salvador Méndez

  MINA, con falda oscura
- María Salvador Méndez

HERMANOS DE DOLORES SALVADOR

Lola tuvo quince hermanos.

Cinco de los hermanos fueron hijos de Marcelina Méndez Correoso y Federico Salvador Arias:

Gloria Salvador Méndez
Hortensia Salvador Méndez
María Salvador Méndez
Zoila Salvador Méndez
Federico Salvador Méndez

Tuvo un hermano de madre:

Manuel Méndez

Y nueve hermanos y hermanas de padre.

HIJOS DE DOLORES SALVADOR

Dolores Salvador y sus cinco hijos poco

después de la muerte de Medardo.

Mireya, Alma

Lola

Lolita, Virginia

al fondo Medardito

NIETOS DE DOLORES SALVADOR

Hijos de Virginia Lafuente

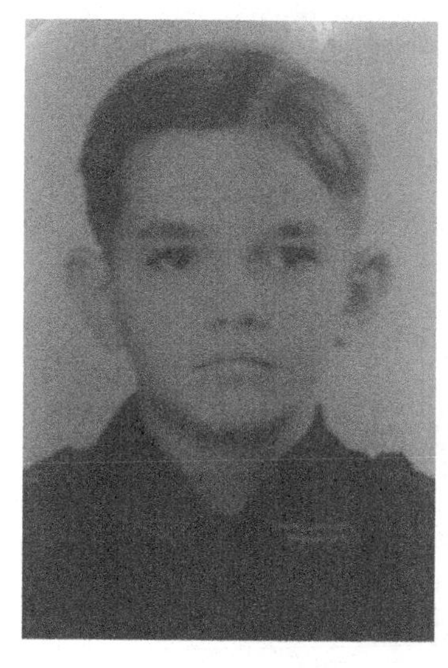

Jorge de Miranda Lafuente

Virginita de Miranda Lafuente

Carlos y Johnny Rodríguez-Feo Lafuente

Alma Lafuente Salvador y sus hijas

Loli Ada Lafuente
Alma
Alma FlorAda Lafuente
Flor Alma Ada Lafuente

Hija de Medardo Lafuente Salvador

Nancy Lafuente Varela

Hijos de Lolita Lafuente Salvador

Mireya Díaz Lafuente

Medardo Díaz Lafuente

Alma Díaz Lafuente
con su prima menor
Loli Ada Lafuente

DESCENDIENTES DE DOLORES SALVADOR

Dolores Salvador Méndez
Camagüey, Cuba 1 de abril, 1887
Camagüey, Cuba 11 de octubre, 1943
&
Medardo Lafuente Rubio
Santander, España. 8 de junio, 1883
Camagüey, Cuba. 23 de octubre, 1939

Virginia Lafuente Salvador
Mireya Lafuente Salvador
Alma Lafuente Salvador
Medardo Lafuente Salvador
Gloria de los Dolores [Lolita]
Lafuente Salvador

1. Virginia Lafuente Salvador

Camagüey - 30 de octubre, 1912

Fairhope, Alabama 13 de enero de 1993

Primer matrimonio

[Divorciados]

Tranquilino de Miranda Aluija

Nuevitas, Camagüey - 19¿? - 19¿?

1.1 Jorge Federico de Miranda Lafuente

Nuevitas, Camagüey - marzo 21, 1933

Miami, Florida - Mayo 17, 1999

Primer matrimonio

Juanita Gómez Real

El Bluff, Nicaragua -- junio 19, 1932

1.1.1 Virginia Dolores [Virgilú] de Miranda Gómez

Nueva York - enero 16, 1956

Rafael Roure

Junio 7, 1956

1.1.1.1 Virginia Marie Roure

Portsmouth, Virginia - oc. 10, 1984

1.1.1.2 Lauren Elizabeth Roure

Norfolk, Virginia - enero 20, 1988

1.1.1.3 Ana Allison Regis Roure

Bethesda, Maryland - agosto 3, 1990

1.1.1.4 Julia Roure

Jacksonville, Florida - dic. 9, 1995

1.1.2 Jorge Alberto Demiranda Gómez

Bluefields, Nicaragua - enero 8, 1958

Primer Matrimonio

Divorciados]

Margarita Núñez

La Habana, Cuba - febrero 22, 1959

1.1.2.1 Mariela de Miranda

La Habana, Cuba- diciembre 24, 1974

Esposo: José Manuel Araya

San José, Costa Rica - abril 27, 1983

1.1.2...1.1 Ariana Lucia Araya Demiranda

San José, Costa Rica agosto 28, 2014

Segundo Matrimonio
Lillian Carreras Vassilieva
La Habana, Cuba- diciembre 18, 1964
1.1.2.2 Denisse Demiranda Carreras
La Habana, Cuba - julio 22, 1990
1.1.2.3. Liliana Nicole de Miranda
San José, Costa Rica- julio 6, 2000

1.1. 3 Juan Carlos Demiranda Gómez
New York, NY - noviembre 27, 1962
Concepción [Connie] Machado
Bluefields, Nicaragua - octubre 9. 1962
1.1.3.1 Carlos Alberto Demiranda
New Orleans, Lousiana - abril 7, 1982
Kristin Lee Smrchek
Petoskey, Michigan, nov. 9, 1982
1.1.3.1.1 Camille Lee Demiranda
Minneapolis, Minn. - nov. 13, 2013
1.1.3.1.2 Karmen Hope Demiranda
Minneapolis, Minn. - abril 5, 2017

1.1.3.2 Gianna Graciela Demiranda
Sacramento, CA - febrero 22, 1995

1 1.4 Giovanna Matilde Demiranda Gómez

Manhattan, New York - octubre 12, 1966

Leovel García [Divorciados]

Matanzas, Cuba - septiembre, 5, 1962

1.1. 4.1 Jorge Luis García Demiranda

Metaire, Lousiana - enero 6, 1991

Danielle Garcia Murphy

Omaha, Nebraska - diciembre 13,1985

1.1.4.1.1 Angelo Jonathan García Ford

Omaha, Nebraska abril 29, 2009

[hijo de Brianna Elizabeth Ford

Omaha, Nebraska - julio 13, 1991]

1.1.4.2 Jonathan García Demiranda

Metaire, Lousiana - octubre 20, 1992

Jorge de Miranda Lafuente
Segundo Matrimonio
[divorciados]
María del Carmen Menéndez
La Habana, Cuba - diciembre 30, 1931

1.1.5 Alejandro de Miranda

Miami, Florida - enero 17, 1971

Rosana Arce [divorciados]

Tijuana, México - marzo 10, 1972

1.1.5.1. Mauricio de Miranda Arce

San Diego, California - sept, 28, 2001

1.1.5.2. Roula de Miranda Arce

San Diego, California - sept, 28, 2001

1.1.5.3. Raizel de Miranda Arce

San Diego, California - sept, 28, 2001

1.2. Virginia Matilde de Miranda Lafuente

Nuevitas, Camagüey - marzo 24, 1935

Dublin, Georgia - octubre 24, 2007

José Luis Balbona Méndez

Mareo, Gijón, Asturias, España - julio 22, 1931

1. 2.1 Virginia María Balbona de Miranda

La Habana, Cuba - octubre 10, 1958

1.2.2 María Teresa Balbona de Miranda

La Habana, Cuba - mayo 1, 1960

Primer matrimonio

[divorciados]

Herbert Albert [Hap] Petty III

Atlanta, Georgia -- enero 21, 1957

1.2.2.1 Christine Nicole Petty

Atlanta, Georgia - junio 28, 1986

Tracy Allan Wallace

Winston Salem, NC - marzo 12,1975

1.2.2.1.2 Aiden Allan Wallace

Marietta, Georgia nov. 28, 2012

Segundo matrimonio

Álvaro Pire

Madrid, España - octubre 19¿?

1.2.3 Eduardo José Balbona de Miranda

Atlanta, Georgia - noviembre 30, 1962

Katheleen Trotter

Jacksonville, Florida - June 19, 1961

1.2.3.1 John Edward Balbona

Bethesda, Maryland -- abril 9, 1992

1.2.3.2 Joseph Trotter Balbona

Bethesda, Maryland - sept. 1, 1994

1.2.4 José Luis Balbona de Miranda

Atlanta, Georgia - septiembre 9, 1964

1.2.5 Jorge [George] Balbona de Miranda

Atlanta, Georgia octubre 13, 1968

Catherine [Cathy] Keys Balbona

Marietta, Georgia - noviembre 16, 1973

Virginia Lafuente Salvador

Segundo matrimonio

Juan Antonio Rodríguez-Feo

La Habana, Cuba - abril 19, 1907 -

La Habana, Cuba - febrero 15, 1959

1.3. Carlos Rodríguez-Feo Lafuente

La Habana septiembre 22, 1951

Primer matrimonio

[Divorciados]

Kathy Butler

Georgia junio 11, 1951

1.3.1 Carli Virginia Rodríguez Feo

Athens, Georgia - otubre 19, 1986

1.3.2 Cassie Mireya Rodríguez Feo

Athens, Georgia - julio 20, 1989

Segundo matrimonio

Michelle"Maxey" Rodríguez -Feo

Crawford, Georgia - septiembre 12, 1966

1.4. Juan Antonio Rodríguez-Feo Lafuente

La Habana, Cuba enero 6, 1955

Patricia Ann Metts

Statesboro, Georgia enero 14,1954

1.4.1 Virginia Brooke Rodríguez-Feo

Augusta, Georgia - marzo 10, 1985

1.4.2 John A. Rodríguez -Feo III

Dublin, Georgia - junio 29, 1986

Amy Elizabeth Rigdom

Augusta, Georgia - abril 9, 1986

1.4.2.1. Ava Elizabeth Rodríguez-Feo

Charlotte, N. Carolina - junio 29,2013

1.4.2.2. John A. Rodríguez-Feo IV

Charlotte, N. Carolina - julio 24, 2015

1.4.3 Charles Levin Rodríguez -Feo

Fairhope, Alabama - enero 29, 1989

1.4.4 Savannah Len Rodríguez -Feo

Fairhope, Alabama - octubre 30, 1994

2. Mireya Lafuente Salvador

Camagüey, Cuba -abril 30, 1915

Pembroke Pines, Florida julio 5, 2008

3. Alma Lafuente Salvador

Camagüey, Cuba - 21 de mayo, 1915

Pembroke Pines, FLA - 15 de marzo, 2014

Modesto Ada Rey

Camagüey, Cuba -15 de junio, 1909

Manning, South Carolina - 1964

3.1. Alma Flor Ada Lafuente

Q. Simoni, Camagüey, Cuba - enero 3, 1938

Primer matrimonio

[Divorciados]

Armando Zubizarreta Gabaldoni

Lima, Perú

3.1.1 Rosalma Zubizarreta Ada
Lima, Perú - julio 30, 1961
Bruce Nayowith
Philadelphia, Pennsylvania - enero 1, 1956
[padre de Tessa y Hannah Nayowith]

3.1.2 Alfonso Zubizarreta Ada
Lima, Perú - julio 18, 1963

Primer matrimonio
[Divorciados]
Ann Marie Davis
noviembre 9, 1959

3.1.2.1 Daniel Antonio Zubizarreta
Cleveland, Ohio - julio 4, 1995

3.1.2.2 Cristina Isabel Zubizarreta
Cleveland, Ohio - abril 10, 1997

Segundo matrimonio
Denia Zamperlini
Ara cruz, Espirituo Santo,Brazil - feb. 7, 1962
[madre de Marion Nepomuceno Zamperlini}

3.1.3. Miguel Zubizarreta Ada

Lima, Perú - octubre 15, 1964

Denise Pudelski

Cleveland, Ohio - diciembre 28, 1967

3.1.3.1 Timothy Paul Zubizarreta

Cleveland, Ohio - enero 6, 1992

Camarie Shepard

Meriden, Connecticul - agosto 17,1992

3.1.3.2 Samantha Rose Zubizarreta

Cleveland, Ohio - julio 17, 1994

3.1.3.3 Victoria Anne Zubizarreta

Cleveland, Ohio - noviembre 11, 1996

3.1.3.4 Nicholas Ryan Zubizarreta

Cleveland, Ohio - octubre 16, 1999

3.1.4. Gabriel Modesto Zubizarreta Ada

Boston, Massachusetts- enero 22, 1967

Hannah Brooks

San Francisco, California- nov. 8, 1966

3.1.4.1 Camille Rose Zubizarreta
San Francisco, california - dic. 16, 1994
3.1.4.2 Jessica Emily Zubizarreta
Santa Clara, California - octubre 4, 1997
3.1.4.3 Collette Lauren Zubizarreta
Santa Clara, California - enero 10, 2004

Alma Flor Ada

Segundo matrimonio - [divorciados]

Jörgen Voss

Jakarta, Indonesia

Tercer matrimonio

Francisca Isabel Campoy Coronado:

Alicante, España - junio 25, 1946

3.2 . Flor Alma Ada Lafuente

Quinta Simoni, Camagüey - marzo 14,1945

Paul Hoke Fellers, Jr.

Sumter, South Carolina- octubre 19, 1943

3.2.1. Marcie Ada Fellers

Columbia, South Carolina mayo 31, 1965

Richard Roy Pettit

Rockport, NY- febrero 27 - 1962

3.2.1.1 Julian Paul Pettit

Fort Oglethorpe, Georgia - enero 11, 1991`

Verónica Castillo

Sancti Spiritus, Cuba - 12 de julio de 1993

3.2.1.1.1 Henry Roy Pettit

Fort Oglethorpe, GA - junio 7, 2013

3.2.1.1 Emily Flor Pettit

Fort Oglethorpe, Georgia - octubre 5, 1992

3.2.1.1 Ethan Franklin Pettit

Fairhope, Alabama- diciembre 11, 1996`

3.2.1.1 Robert Ray Pettit

Fort Oglethorpe, GA - agosto 14, 2000`

3.2.2. Ashleigh Hoke Fellers Rohde

Mobile, Alabama junio 26, 1971

Daniel Evan Rohde

San Francisco, California- enero 5- 1969

3.2.2.1 Via Hoke Rohde

Santa Barbara, California- sept. 12, 1997`

3.2.2.2 Aidan Daniel Rohde

Wilmington, North Carolina - dic. 17, 1999

3.2.2.3 Sky Lydia Rohde

Wilmington, N. Carolina - julio 14, 2002`

3.2.2.4 Harmony Em Rohde

Wilmington, N. Carolina - dic. 18, 2004`

3.2.3 Paul [Trey] Hoke Fellers III

Mobile, Alabama - junio 20, 1973

Jana Christine Bethea

Mobile, Alabama - agosto 17, 1973

3.2.3.1 Ivy Grace Fellers

Birmingham, Alabama - enero 9, 2002`

3.2.3.2 Paul [Hoke] Hoke Fellers IV

Birmingham, Alabama - Agosto 9, 2004

3.2.4 Evan Errol Fellers

Mobile, Alabama - diciembre 29, 1978

Kristina Marie Killar

Albany, New York - julio 31, 1979

3.2.4.1 Elva Gladys Fellers

Boston, Massachusetts - abril 20, 2009`

3.2.4.2 Faye Modesta Fellers

Cambridge, MA -diciembre 16, 2011

3.2.4.3 Delphine Beverly Fellers

Cambridge, MA - febrero 8, 2014

3.3 . Lolita [Loli] Ada Lafuente

Miami, Florida - marzo 3,1961

George [G.P.] Perry

Ft. Clayton, Panamá -

Segundo matrimonio de

Alma Lafuente Salvador

Esposo: Pedro Ruso

La Habana, Cuba - septiembre 27, 1927

4. Medardo Lafuente Salvador

Camagüey, Cuba - noviembre 11, 1920

Camagüey, Cuba - agosto 30, 1945

Geraldina Varela Ramírez

Camagüey, Cuba - diciembre 9, 1922

Moultrie, Georgia - enero 20, 2001

4. 1 Nancy Lafuente Varela

Quinta Simoni, Camagüey - julio 19, 1944

Hugh Gardiner [Divorciados]

Chicago, Illinois - noviembre 16, 1944

4.1.1 Glenn Gardiner

Indianapolis, Indiana - diciembre 27, 1969

4.1.2 Dolores Elena [Lola] Gardiner

Indianapolis, Indiana - agosto 2, 1972

Charles Rodney Barr - enero 14, 1973

4.1.2.1 Sophie Ann Barr

San Francisco, California - julio 22, 2005

4.1.2.1 Larry Scott Barr

San Francisco, California - abril 13, 2007

4.1.2.1 Phoebe Julie Barr

San Francisco, California -octubre 18, 2008

4.1.3 Amy Sabrina Gardiner

Ft. Lauderdale, Florida - septiembre 15, 1975

MichelleAdair Ozbun

Craig, Colorado - febrero 16, 1965

4.1.3.1 Ridge Adair Frederick Ozbun

Albuquerque, NM - febrero 6, 2005

4.1.3.2 Xander Madison Ozbun Gardiner

Albuquerque, NM - julio 24, 2013

4.1.4 Angela María Gardiner

Ft. Laudedale, Florida - julio 16, 1977

Lance Kevin Howard

Baton Rouge, Lousiana - octubre 9, 1972

4.1.4.1 Thomas Aidan Howard

Atlanta, Georgia -julio 9. 2007

4.1.4.2 Andrew Evan Howard

Marietta, Georgia - junio 29, 2012

5. LOLITA LAFUENTE SALVADOR

Quinta Simoni, Camagüey - julio 23, 1923
Wellington, Florida - junio 26, 2004

Manuel [Manolo] Díaz Estrada
Nuevitas, Camagüey - enero 1, 1917
Miami, Florida - octubre 18, 1992

5. 1. Mireya Díaz Lafuente

Quinta Simoni, Camagüey - nov. 9, 1945
Frederick Alan [Rick] Vance
Buffalo, NY - diciembre 20, 1944

5.1.1. Ray [Rey] Alan Vance
Hialeah, Florida - sept. 2, 1965
Christie Rose Ritter
Evansville, Indiana - julio 6, 1963

5.1.1.1 Vienna Rose Vance
San Diego, California - marzo 22, 2000
5.1.1.2 Kellen Ritter Vance
San Diego, California - abril 13, 2003

5.1.2. Rick Alan Vance

Miami, Florida - febrero 25, 1969

Jennifer Lynn Veerkamp

[Divorciados]

Sacramento, California - agosto 26, 1972

5.1.2.1 Jayden Shae Vance

Folsom, California - octubre 26, 2001

5.1.2.2 Sierra Alexa Vance

Folsom, California - noviembre 13, 2002

5. 2. Medardo Díaz Lafuente

La Habana, Cuba - agosto 18,1948

Miami, Florida - marzo 30, 1998

Marsha Ann Bost

Chincoteague Island, Virginia -ene. 26, 1946

5.2.1 Shannon Leigh Díaz

Miami, Florida - agosto 11, 1976

Alejandro [Alex] Núñez Jr.

Miami, Florida - Mayo 27, 1976

5,2.1.1. Taylor Lauren Núñez

Miami, Florida - enero 8, 1998

5,2.1.1. Cameron Leigh Núñez

Miami, Florida - noviembre 10, 1999

5.2.2 Lauren Michelle Díaz

Miami, Florida - octubre 18, 1980

Armando Alan Lambert

Ponce, Puerto Rico - junio 25, 1974

5.2.2.1 Riley Michael Lambert

Miami, Florida - Septiembre 4, 2008

5.2.2.2 Jackson Tyler Lambert

Miami, Florida - abril 18, 2012

5. 3. Alma Díaz Lafuente

La Habana, Cuba - abril 7, 1956

Charlie Paruolo [Divorciados]

5.1.1 Kristen Dolores Paruolo

Miami, Florida - diciembre 25, 1983

NOTAS

[1] Mercedes Pinto fue una escritora canaria, nacida en 1883. Inició su carrera literaria en Madrid con artículos periodísticos feministas y un libro de poemas **Brisas del Teide**. Fue amiga de Ortega y Gasset y Carmen de Bustos. Tuvo que salir exiliada de España por amenazas directas del dictador Primo de Rivera a causa de la conferencia **El divorcio como medida higiénica** que pronunció en la Universidad Central de Madrid. Realizó el resto de su obra literaria en Hispanoamérica, donde siguió relacionándose con figuras de la talla de Alfonsina Storni, Rabindranath Tagore y Pirandello. Murió en 1976. Buñuel llevó al cine **Él**, la más famosa entre sus novelas. *– Nota de Alma Flor Ada*

[2] El **"búcaro roto"** se refiera al poema de Sully Prudhomme que, según sus hijas, le gustaba mucho, y citaba con frecuencia. Posiblemente se identificaba con dolores que había sufrido en silencio más de una vez para evitar dolor a otros.

Puede leerse a continuación:

El búcaro roto

Sully Prudhomme

El búcaro en que muere esa flor pura,
un golpe de abanico lo quebró;
y tan ligera fue la rozadura.
que ni el más leve ruido se advirtió.

Pero la breve, imperceptible grieta,
con marcha lenta y precisión fatal,
prosiguiendo tenaz su obra secreta
rodeó todo el circuito del cristal.

El agua fue cayendo gota a gota,
y la espléndida flor marchita veis;
aunque nadie lo sabe ni lo nota.
roto el búcaro está: ¡no lo toquéis!

Así, a veces, la mano más querida
nos roza sutilmente el corazón,
lenta se abre su secreta herida,
se mustia la flor de su ilusión.

Todos lo juzgan sano, entero, fuerte;
mas la oculta lesión creciendo va;
nadie su mal desconocido advierte;
pero no lo toquéis: ¡roto está ya!

René François Armand Prudhomme [1839-1907], francés, ensayista y poeta de estilo parnasiano, fue el primer escritor que recibió el Premio Nobel de Literatura en 1901.

[3] En una página interior del cuaderno manuscrito aparecen escritas a lápiz estas listas, pero no tengo ninguna idea de a qué se refieran.

Sé, por referencia de Mireya Lafuente que en la Quinta Simoni se aceptaban caballos “a piso”, es decir que los dueños los dejaban allí para que se alimentaran. Lo único que supe que en alguna época vendían eran huevos, pollos y gallinas de las que criaba mi abuela. Y en alguna época también se alquilaron las habitaciones del fondo, que tenían salida propia al patio de la ceiba.

En el afán de preservar toda información histórica de la Quinta Simoni y nuestra familia copio aquí estos nombres:

Inquilinos

Aurelia Padilla
Madre Juan Betancourt
De la tasajera (30 chivos)
Familia Fernández
Rafael Aguiar
Bean
Dolores de Castellanos
Alcides
El del trasiego
Benito Hernández (Carlos Álvarez)
P. Habana 7 (frutero)
Zapatero francés
Pariente Inocenta
Javiera

Compradores

Esta lista, escrita con lápiz, aparece casi borrada, lo que puede leerse parece decir:

Montejo
Cisneros
Carito Vega
Lazo
Arturo y Adela
Jaime y María
Mujer ¿?
Dolores Castellanos
Inquilino ¿?
Juana de Varona
Aurelia

LIBROS DE LA FAMILIA LAFUENTE SALVADOR

ALMA FLOR ADA LAFUENTE

Island Treasures. Growing Up in Cuba. NY. Simon & Schuster. 2015
Tesoros de mi isla. Una infancia cubana. Doral, FL: Santillana/ Loqueleo. 2015

Once There Were Four Children.
San Rafael, CA: Mariposa Transformative Education. 2009.

Vivir en dos idiomas. *Memoria.*
Doral, FL: Santillana/Aguilar.

Una casa de grandes arcos. Dos familias luminosas.
San Rafael, CA: Transformative Education. 2017. Colección Quinta Simoni nº 11

Dolores Salvador. Maestra de maestras. San Rafael, CA: Transformative Education. 2017. Colección Quinta Simoni nº 10

MODESTO ADA REY

Sin temor de Dios. Hacer el bien por el bien mismo. Cartas a su hija Alma Flor Ada. 1960-1964. San Rafael, CA: Transformative Education. 2012

ALMA LAFUENTE SALVADOR

Del ayer hacia el mañana. San Rafael, CA: Mariposa Transformative Education. 2014

Manantial de sentimientos. Del Sol Publishing. 2005

Mi vida. San Rafael, CA: Mariposa Transformative Education. 2016. Colección Quinta Simoni nº 1

MEDARDO LAFUENTE RUBIO

Jornadas Líricas. *Poemas*. San Rafael, CA: Mariposa Transformative Education. 2016 Colección Quinta Simoni nº 4

Jornadas Líricas. CDs. [leídos por Alma Flor Ada] San Rafael, CA: Mariposa Transformative Education

Mi cada vez más querida mía. Cartas de Medardo Lafuente a Dolores Salvador Méndez. 1910-1917. Mill Valley, CA: Del Sol Publishing

Páginas rescatadas. Tercera Edición San Rafael, CA: Mariposa Transformative Education. 2016. Colección Quinta Simoni nº 3

MIREYA LAFUENTE SALVADOR

Recuerdos.
Del Sol Publishing. 2005. Colección Quinta Simoni nº 2

VIRGINIA LAFUENTE SALVADOR

Palabras. San Rafael, CA: Del Sol Publishing 2013

ROSALMA ZUBIZARRETA ADA

La Facilitación Dinámica. Diversidad de perspectivas como fuente de energía y creatividad.
Mariposa Transformative Education

Para información sobre estos libros:
For information on any of these books, contact:
almaflor@almaflorada.com / www.almaflorada.com
www.transformativeeducation.com